TOUT

CE QUE VOUS AVEZ TOUJOURS **VOULU** **SAVOIR** SUR LA **CUISSON** DES **VIANDES**

...SANS OSER LE DEMANDER !

YVES BAUDRY

AVEC LA PARTICIPATION DE
RICHARD HAMEL

TOUT

CE QUE VOUS AVEZ

TOUJOURS **VOULU**

SAVOIR SUR LA

CUISSON

DES **VIANDES**

YVES BAUDRY

AVEC LA PARTICIPATION DE
RICHARD HAMEL

COMMUNIPLEX

Concept et réalisation : Communiplex Marketing inc

Coordination du contenu : Diane Couturier Services Conseils inc

Recettes et conseils : Yves Baudry

Contenu rédactionnel : Richard Hamel

Révision d'épreuves : Communiplex Marketing inc avec
l'assistance de Sylvianne Tramier

Conception graphique et mise en pages : Adigraph

Photographie : Tango

Stylisme culinaire : Jacques Faucher

Illustrations : Bruce Roberts

Impression : GPS Globalink Production Solutions Ltd

L'Éditeur remercie le personnel de la Boucherie-Charcuterie de Tours du Marché Atwater à Montréal pour leur exceptionnelle collaboration.

Dépot légal, quatrième trimestre 2009
Bibliothèque nationale du Québec
Bibliothèque nationale du Canada

ISBN: 978-2-9810385-3-1

Édité par Communiplex
210 rue Roland-Jeanneau
Verdun, Québec, Canada   H3E 1R5
Courriel : communiplex@sympatico.ca
Téléphone: 514-769-3533

Imprimé et relié en PRC

Remerciements

Je tiens à remercier mon éditeur et son équipe qui m'ont fait confiance dans ce projet et qui m'ont accordé leur collaboration de tous les instants. Je remercie également les intervenants aux diverses étapes de la production: Jacques Faucher pour le superbe stylisme des plats, Pierre et Guy ainsi que Claude du studio Tango pour leur attention au moindre détail et leur générosité, Hélène et Daniel chez Adigraph qui ont répondu avec talent à toutes mes demandes, Mme Sylvianne Tramier qui a si patiemment relu mes textes et qui m'a secondé de ses précieux conseils. J'aimerais également dire mon affection et mon appréciation à Catherine, ma femme, et Céline, ma fille, qui m'ont appuyé dans ce projet dès le départ. Un mot enfin pour remercier Pierrot Fortier et ceux qui m'entourent dans mon métier et pour dire à tous les fidèles clients de la Boucherie de Tours combien leur soutien est précieux. C'est grâce à eux et c'est pour eux que j'ai voulu créer cet ouvrage et leur transmettre mes modestes connaissances.

Sans prétention j'aimerais leur dédier cet ouvrage.

Yves Baudry

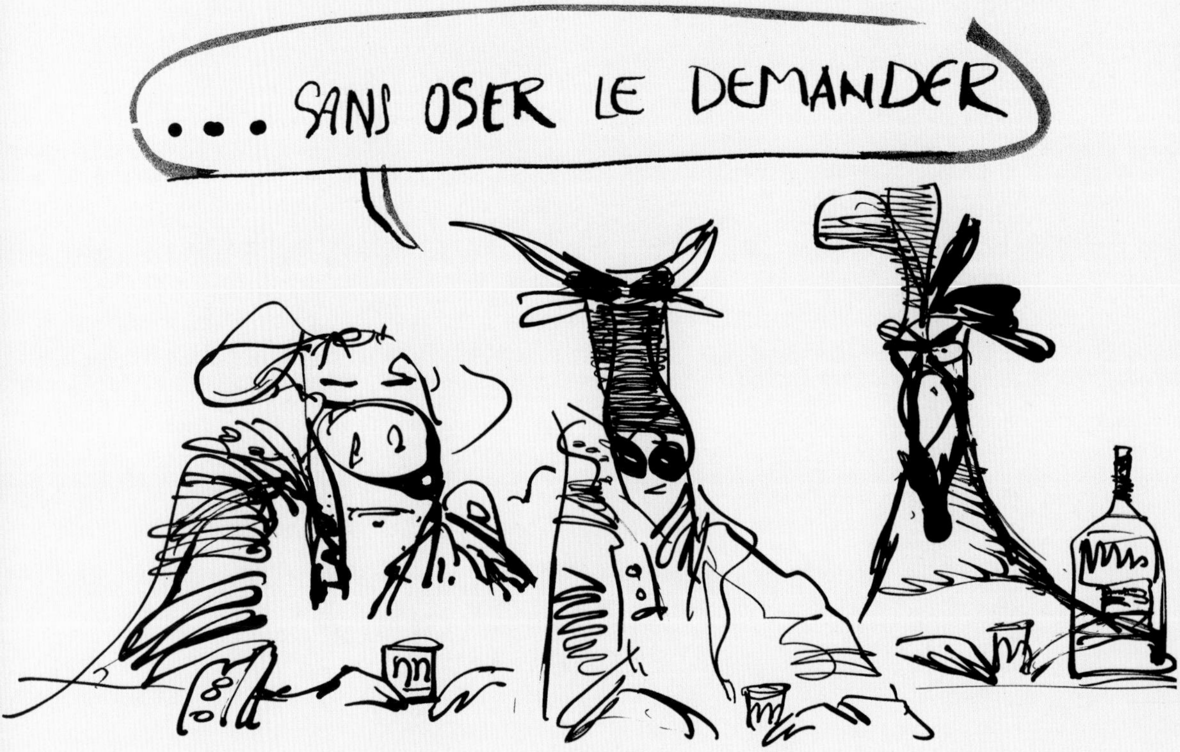
... SANS OSER LE DEMANDER

Tables des Matières

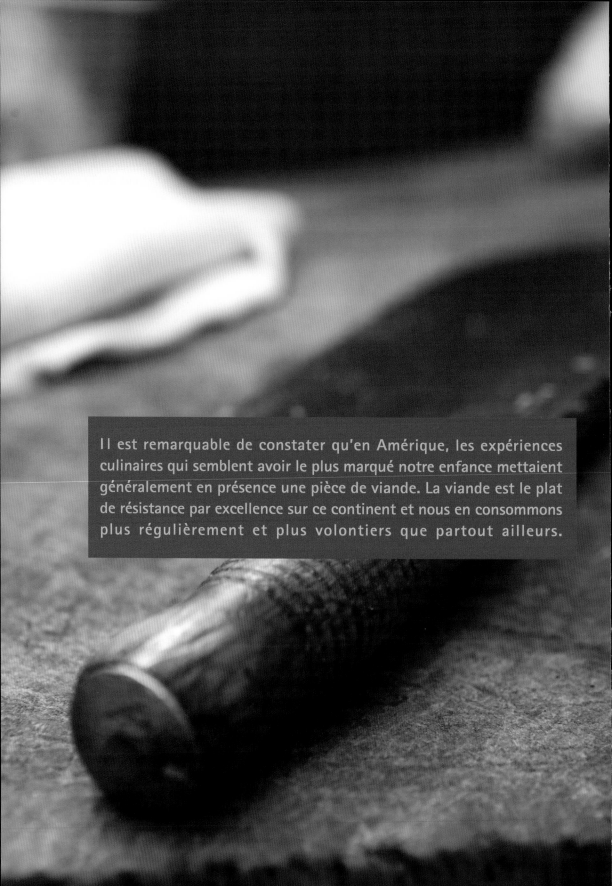

Il est remarquable de constater qu'en Amérique, les expériences culinaires qui semblent avoir le plus marqué notre enfance mettaient généralement en présence une pièce de viande. La viande est le plat de résistance par excellence sur ce continent et nous en consommons plus régulièrement et plus volontiers que partout ailleurs.

Qui ne se souvient pas du plat de rosbif traditionnel pris en famille le dimanche, de l'immense jambon ou de la dinde des jours de fête qui trônaient au centre de la table et autour desquels s'articulait tout le repas. On se rappelle le goût succulent de son premier rôti de côtes, de son premier gigot d'agneau lentement cuit au four et dégageant ses arômes d'ail et de romarin, de son premier barbecue où de belles pièces de bœuf achèvent de griller à la perfection et vous titillent les narines avant d'envoûter votre palais.

À l'évidence, nous sommes nombreux à aimer la viande. Le but de cet ouvrage n'est donc pas de vous faire découvrir l'intérêt de préparer des plats de viande. Vous êtes déjà familiarisés avec le sujet. Nous souhaitons en fait vous les faire apprécier encore davantage. Nous sommes conscients qu'une diète riche en viande (particulièrement la viande rouge) n'est pas sans avoir ses effets sur la santé. Notre but n'est pas de vous inciter à en consommer davantage, mais plutôt de vous montrer comment tirer le plus grand parti possible de ces repas de viande et même vous suggérer, par le choix de pièces de meilleur rendement et qualité et par l'emploi et la maîtrise des techniques de cuisson appropriées, de faire la transition de la quantité vers la qualité, ce qui, nous vous le promettons, sera encore plus satisfaisant pour vous.

Ce livre peut sembler à première vue assez semblable à bien d'autres livres de recettes qui vous présentent diverses manières d'apprêter la viande. Il est toutefois différent et sa différence réside dans son intention. Cet ouvrage est consacré entièrement à l'art de bien préparer les plats de viande. Il débute par une assez longue mise en matière où il est question de mieux connaître les particularités des différentes pièces de viande, le type de cuisson qui leur convient le mieux, d'apprendre à bien maîtriser les techniques elles-mêmes et à les exécuter comme il se doit pour obtenir exactement le résultat recherché.

En fait, nous voulons faire de vous chers lecteurs d'abord d'excellents apprentis cuisiniers et ensuite avec l'expérience, de très bons cuistots en vous expliquant le pourquoi et le comment des choses et ensuite en vous proposant d'élargir votre horizon de plats cuisinés à base de viande pour vous faire apprécier, outre les steaks en grillades, des mijotés fabuleux de saveurs, des rôtis juteux qui vous combleront de satisfaction ou des sautés aux arômes envoûtants.

Il faut d'abord se dire qu'il n'y a pas de « hiérarchie » dans les plats de viande. Un bouilli peut égaler en saveur et en nutriment le plus chic des plats cuisinés avec les meilleures pièces de viande. Il est tout aussi satisfaisant de déguster un plat simple, mais bien fait que la plus fine des préparations culinaires. Tout est dans l'art... et le mot est ici justement choisi... d'apprêter le plat.

Nous vous montrerons donc comment tirer le meilleur parti possible de chaque pièce et prendre plaisir à le faire. Nous allons vous accompagner dans toutes les étapes du processus, depuis la sélection dans le comptoir du boucher jusqu'à la préparation, la cuisson et bien sûr, la dégustation, pour que l'expérience totale en soit une de grande satisfaction.

Ce que nous avons finalement voulu faire avec cet ouvrage, c'est un acte de célébration du rite séculaire de manger de la viande et nous souhaitons ardemment que vous acceptiez de partager cette expérience avec nous. Le résultat, vous verrez, en vaut largement la chandelle.

L'Éditeur

Choisir une pièce de viande : ce qu'il faut savoir

Il est important de connaître les particularités des différentes coupes de viande. L'endroit d'où elles proviennent sur la bête en dit long sur leurs caractéristiques, car toutes n'ont pas la même tendreté et le choix d'un morceau plutôt qu'un autre pourra commander un type de cuisson qui lui est davantage approprié.

Les coupes de viande

Lorsque le boucher dépèce une carcasse d'animal, il commence par diviser la bête en sections dites « primaires ». Ces sections seront ensuite subdivisées en morceaux «sous-primaires», puis en coupes de détail qu'il disposera dans ses comptoirs.

Pour simplifier, nous dirons que l'animal est composé de muscles qui servent à le supporter et permettre ses déplacements et de muscles qui servent à l'assemblage et au bon maintien du squelette. Ceux qui sont destinés au travail, c'est-à-dire à supporter et à mouvoir l'animal, sont constitués de fibres plus compactes, car elles sont soumises à des efforts et fréquemment sollicitées. Ceux qui sont destinés à maintenir l'assemblage du squelette et des viscères ne sont pas appelés à fournir d'efforts aussi considérables, certains n'étant pratiquement jamais sollicités dans ce sens. Les tissus musculaires qui les composent sont structurés différemment et souvent on constate que la densité moins grande des fibres entre elles a permis de stocker dans ces muscles et entre eux une certaine quantité de gras. La chose mérite d'être considérée, car la présence plus ou moins importante de gras intra et intermusculaire est synonyme de goût supérieur et de tendreté.

Si l'endroit d'où provient la pièce de viande sur l'animal est un facteur important dans la détermination de son niveau de tendreté, un autre facteur joue un rôle considérable dans cet ordre de préoccupation. Il s'agit de la classification de l'animal.

La classification

Nous appelons « persillage » la présence d'interstices de gras dans le muscle et « marbrage » la part de gras localisée entre les plans musculaires de l'animal. Chez le bœuf, le persillage et le marbrage jouent un rôle de premier plan dans la détermination de la classe à laquelle appartiendra la carcasse, un critère qui a un effet direct sur le prix à payer pour cette dernière.

La classification n'a rien à voir avec le processus d'inspection des aliments. Ce dernier est obligatoire et assure que la viande inspectée répond aux normes de salubrité du gouvernement et a été jugée propice à la consommation.

La classification, quant à elle, est une procédure à laquelle se soumettent volontairement les éleveurs de bovins. Elle est effectuée par une agence privée et indépendante et ne s'applique qu'une fois que la viande a satisfait aux exigences de salubrité des inspecteurs gouvernementaux. La classification est un exercice qui a pour objectif de transmettre au consommateur des indications sur la qualité gustative d'une pièce de viande. En choisissant une viande classée supérieure, ce dernier cherche à s'assurer qu'elle soit tendre, juteuse et savoureuse. Cette classification est la résultante d'une variété de facteurs qui prennent en considération le type d'élevage, l'âge de la bête, l'usage final auquel elle est destinée, son alimentation, bref des facteurs qui auront un impact sur le degré de persillage des muscles, jugé essentiel pour garantir la saveur et la tendreté.

Les normes utilisées pour la classification sont sanctionnées par le gouvernement fédéral sur les recommandations de l'ensemble de l'industrie canadienne du bœuf. En effet, ces normes ne concernent pratiquement que le bœuf. Mais il faut dire que la viande de bœuf représente la part majeure des viandes consommées ici. Parce que le bœuf peut entrer dans la chaîne alimentaire à des âges variables et avoir connu des conditions d'élevage tout aussi variables, il est nécessaire de le classifier pour mieux juger de sa tendreté qui dépend pour beaucoup du persillage et du marbrage des muscles. Le veau et l'agneau sont quant à eux de jeunes bêtes, ce qui fait que le persillage n'est pas un facteur déterminant dans la tendreté de leur chair. Quant au porc, il répond à des critères différents de classification.

Au Canada, la viande de consommation courante se classe en quatre catégories : Canada Prime (classe supérieure), Canada AAA, Canada AA, Canada A. On le répète, c'est le degré de persillage principalement qui entre ici en considération. La viande classée AAA en offre davantage que les viandes classées AA et A. Étant donné qu'une grande quantité de carcasses sont également vendues aux États-Unis, les normes canadiennes sont passablement en harmonie avec les normes USDA de nos voisins. Chez eux, la classification est fonction d'une nomenclature qui distingue les catégories Prime, Choice, Select et Standard, lesquelles correspondent tous comptes faits à nos catégories Prime, AAA, AA et A.

En réalité, on destine à la classification des carcasses qui se situeront dans les deux premières catégories, car elles seules procurent aux éleveurs suffisamment de revenus pour justifier la somme qui leur est demandée pour la classification. Le consommateur trouvera au supermarché et dans la plupart des boucheries des pièces de viande tirées de carcasses classées AAA ou Choice ainsi que de carcasses non classifiées qui pour la plupart satisfont à la catégorie AA ou Select. Ces dernières sont plus maigres, donc un peu moins tendres et goûteuses, quoiqu'ici encore cela dépende de la partie de la bête d'où est tirée la pièce choisie.

Le type d'élevage ou la provenance

Enfin, il faut aussi mentionner une pratique de mise en marché qui prend de l'ampleur ces dernières années et qui s'apparente à la classification dans son intention et ses objectifs. Elle consiste à apposer et/ou à certifier une provenance et/ou un type d'élevage à une bête donnée, un label distinctif en quelque sorte, qui rassure le consommateur sur les qualités de la pièce qu'il se procure. L'agneau de Kamouraska ou le bœuf Angus sont de bons exemples de ce type de pratique. L'approche est appelée à s'intensifier maintenant que les consommateurs deviennent plus soucieux de connaître les origines d'une bête et les pratiques d'élevage auxquelles elle a été soumise. La traçabilité devient également un argument de sécurisation et une forme d'assurance dans l'arsenal des outils de marketing mis en place ces derniers temps dans le commerce de la viande.

Le vieillissement

Vous avez sans doute entendu parler de ce traitement qu'on fait subir aux carcasses et par lequel on confère des qualités de goût et de tendreté aux pièces vieillies dans des conditions spéciales. Disons d'abord que seuls les carcasses entières (coupes primales) et les muscles entiers (coupes sous-primales) peuvent tirer bénéfice du processus de vieillissement et c'est un travail qu'il faut laisser aux professionnels.

Le fait de laisser vieillir une viande dans des conditions contrôlées permet aux enzymes contenues dans les muscles d'entrer en action et de provoquer un relâchement des fibres et des tissus conjonctifs qui entourent ces muscles. Le temps d'attente permet également une déperdition d'humidité dans les muscles (jusqu'à 20 % du poids total) qui aura pour effet de concentrer la saveur de la viande. Le vieillissement permet donc à la viande de se ramollir et de concentrer sa saveur. Voilà deux effets qui sauront impressionner votre palais et vous convaincre des mérites associés au vieillissement.

Bien sûr, le vieillissement est un traitement réservé aux carcasses dont les qualités les placent dans les meilleures catégories (Prime et AAA ou Choice) ainsi qu'aux découpes les plus nobles qu'on destine aux techniques de cuisson par chaleur sèche.

Pour les irréductibles d'entre vous qui recherchez le fin du fin en matière de produits de boucherie, nul doute qu'ils trouveront satisfaction en optant pour cette sélection spécifique.

Acheter sa viande chez son boucher ou au supermarché.

La dernière considération abordée dans ce chapitre concerne la vente au détail des pièces de viande. La question ici est de savoir s'il y a une différence à s'approvisionner en viande aux comptoirs des supermarchés ou chez votre boucher.

Disons de prime abord que le processus d'approvisionnement pour votre boucher est différent de celui de la grande surface.

Dans les grandes surfaces, le prix est un facteur clé dans l'approvisionnement. Les quantités négociées sont impressionnantes et les rabais/volumes conditionnent les achats. Bien que la sélection réponde à des normes strictes et généralement surveillées, il est impossible de prétendre à un contrôle constant de l'approvisionnement. Vous ne pourrez donc pas connaître la provenance précise de la pièce que vous convoitez et il y a de fortes chances que les pièces d'une même coupe dans le comptoir proviennent d'animaux de provenance fort diverse, même si leur classification est identique.

Il est également probable que les règles de la consommation de masse ainsi que les comportements attendus de la clientèle incitent les acheteurs des grandes surfaces à confiner leurs sélections en comptoirs aux découpes les plus populaires. De plus, la tendance des grandes surfaces privilégie de plus en plus la concentration des opérations de découpe et d'emballage et la normalisation des portions et nous sommes forcés de constater que de moins en moins de bouchers de métier sont présents derrière les comptoirs des supermarchés pour accommoder vos besoins spécifiques.

Votre boucher, quant à lui, contrôle son approvisionnement de façon plus précise. Il achète probablement une bonne partie de sa viande en quartiers complets qu'il débite au fur et à mesure des besoins et qui vont donc

ne pourra le faire, malgré sa bonne volonté, le gérant du département des viandes de votre supermarché ou son employé. Vous aurez peut-être l'impression de payer un peu plus cher chez votre boucher, mais ce n'est pas nécessairement vrai, car vous rapporterez à la maison une pièce de viande provenant d'un animal choisi, mieux taillée et mieux parée, ce qui vous permettra d'en tirer meilleur profit et qui correspondra précisément à vos désirs. En prime, elle s'accompagnera souvent de précieuses recommandations, quand ce n'est pas d'une brillante recette, pour en faire un plat qui saura combler vos attentes.

Il est important lorsqu'on achète une pièce de viande de savoir ce que l'on compte en faire et le type de cuisson auquel on la destine. Rien ne sert d'acheter une pièce de viande tendre à couper à la fourchette si vous la destinez à un long mijotage. Cette cuisson ne lui conviendra pas et vous aurez perdu par cette cuisson les avantages qui faisaient tout son mérite.

demeurer quelques jours dans ses frigos, ce qui permet un certain vieillissement. Il est mieux en mesure de satisfaire vos demandes spécifiques et pourra tailler vos pièces à l'épaisseur et au format requis. De plus, vous aurez établi avec lui une relation plus étroite, voire amicale, et il aura le souci de vous servir avec davantage de soin que

Les pages qui suivent abordent, par type d'animal, les méthodes de cuisson les plus appropriées aux découpes choisies et proposent des préparations qui permettront à chacune d'exprimer toutes leurs qualités intrinsèques.

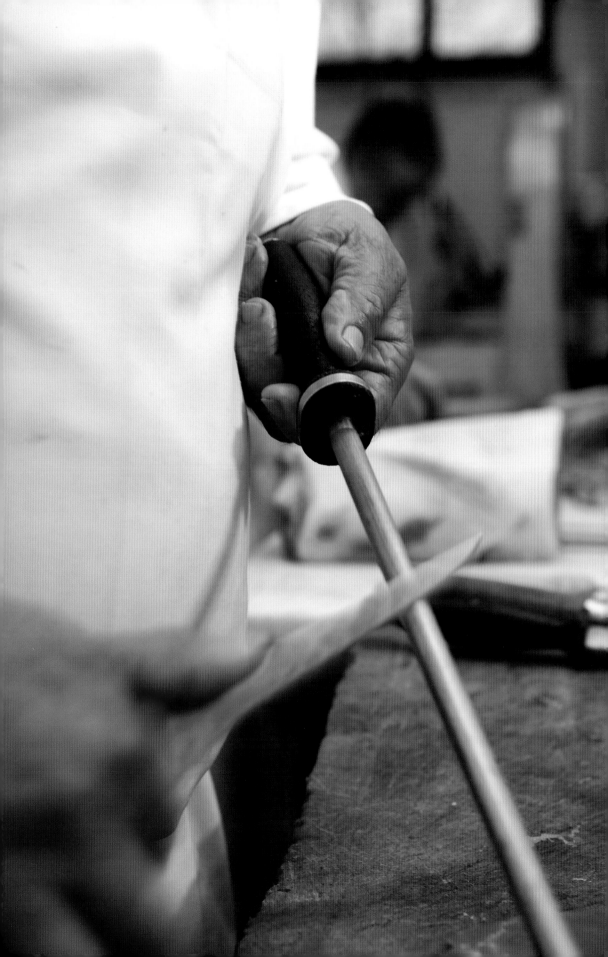

D'où provient la saveur de la viande?

Nous venons d'acheter une pièce de viande que nous estimons de belle qualité. La chair est d'un rouge brillant et généralement exempte de gras visible, sauf sur les rebords soigneusement parés et qu'il sera facile de retirer pour minimiser la présence de gras avant de cuire la pièce. Toutefois, si nous ne prenons pas garde au type de cuisson auquel nous allons soumettre cette pièce de viande, il est fort possible, malgré le prix payé, qu'elle n'ait pas la tendreté et la saveur attendues.

Les producteurs de viande de boucherie ont fait des prodiges au cours des vingt dernières années pour produire un type de viande qui est en général plus maigre que par les années passées. Cela est particulièrement vrai pour la viande de porc dont certaines coupes sont aujourd'hui 60 % moins grasses qu'auparavant. Mais cela est également vrai pour le bœuf et le veau, bien que ce dernier ait toujours été plus maigre que le bœuf.

Le gras animal est un gras saturé qui de nos jours n'a pas bonne réputation. Le fait que la viande qu'on nous présente désormais contienne moins de gras qu'auparavant offre un certain réconfort à ceux qui se soucient de l'apport de gras saturé dans leur alimentation.

Il faut pourtant savoir que le gras joue un rôle de premier ordre dans la cuisson des viandes. Qu'il soit moins présent dans la pièce à cuire nous oblige à trouver des astuces pour compenser le rôle qu'il jouait, afin que le résultat final demeure aussi tendre et goûteux qu'à l'époque où les viandes étaient plus grasses.

Arrêtons-nous un instant sur le rôle que joue le gras dans la cuisson d'une viande.

Il y a d'abord deux types de gras dans une pièce de viande : le gras intermusculaire que l'on trouve autour et entre les muscles (et qu'on appelle le marbrage) et le gras intramusculaire qui est présent à l'intérieur du muscle (et qu'on appelle le persillage). Si on peut disposer facilement du gras qui est autour du muscle, on ne peut en faire autant de celui qui se situe dans le muscle lui-même. Or, c'est ce dernier surtout qui sera responsable de la tendreté ultime de notre pièce de viande et certains estiment qu'il en va de même pour sa saveur. À ces égards, il ne faudrait donc pas considérer le persillage comme nuisible. Bien au contraire, nous disent les chefs cuisiniers, car ce gras joue un rôle essentiel en cours de cuisson. Plusieurs d'entre eux en rajoutent en disant que le gras est également l'un des principaux vecteurs du goût, certains estimant même que c'est dans son gras que se situe la saveur même de la viande. Démonstration faite, nous avons bien dû constater qu'ils n'avaient pas tort.

Anciennement, les cuisiniers « bardaient » certaines pièces de viande, c'est-à-dire qu'ils inséraient de fines lanières de gras de porc dans les parties charnues, mais trop maigres de la viande pour en améliorer la saveur et le moelleux. L'expression « barder » est encore utilisée aujourd'hui, mais de nos jours elle se résume souvent à recouvrir la pièce de viande d'une fine couche de gras de porc pour la protéger du dessèchement lors de la cuisson. Son rôle joué, cette couche est ensuite retirée avant le service de sorte que l'apport en gras s'en trouve minimisé.

Les viandes étant moins grasses, il convient de modifier les anciennes techniques de cuisson pour tenir compte de ce facteur. La première chose à faire, bien évidemment, est de cuire les viandes moins longtemps pour éviter leur dessèchement. Mais cela dit, tout n'est pas réglé. Comment allons-nous remplacer l'absence de ce vecteur de goût qu'est le gras ? Comment allons-nous également préserver le moelleux de la pièce à cuire ? Des solutions existent.

Il existe différentes façons d'apporter de la saveur à notre pièce de viande. Nous pouvons l'assaisonner d'herbes, d'épices ou d'aromates avant de la cuire, la faire mariner dans un liquide aromatisé ou dans une saumure, la couvrir d'une pâte ou d'une purée d'herbes ou la farcir d'un mélange chargé de saveur. Mais, cet ajout d'artifices est une approche qui ne satisfait pas tout le monde.

Ceux qui aiment le goût de la viande pour lui-même vous diront qu'ils préfèrent ne rien lui ajouter et la cuire «au naturel». Ils n'ont pas tort. Anciennement, la viande mise à cuire n'était pas habituellement taillée en tranches comme on la retrouve aujourd'hui dans les comptoirs. De plus, on cuisait la pièce directement au-dessus du feu, car l'usage du poêlon n'était ni pratique ni courant lorsque la cuisson s'effectuait dans l'âtre. Les pièces mises à cuire étant plus volumineuses, on les posait sur des broches qui tournaient au-dessus du feu et il fallait un certain temps pour les cuire. Soumises à l'action intense de la chaleur et parfois de la flamme nue, il se formait à leur surface une croûte que d'aucuns considéraient comme fort aromatique.

Nous méconnaissons aujourd'hui ces méthodes qui étaient pourtant pratique courante aux siècles derniers et qui avaient pour but d'apporter de la saveur sans avoir recours aux assaisonnements, évidemment moins disponibles et surtout plus coûteux à l'époque que maintenant.

Nous allons vous les présenter dans les pages qui suivent, afin que ces nobles pratiques du temps jadis, injustement délaissées, retrouvent la place qui leur convient dans nos préparations culinaires, à la grande joie de tous les gourmets et gourmands de ce monde.

D'où provient la tendreté de la viande ?

Aux dires de plusieurs, il semble exister un curieux rapport inverse entre saveur et tendreté. Les pièces les plus tendres manqueraient de saveur alors que les pièces les plus savoureuses proviendraient de sections de la bête reconnues pour leur manque de tendreté au départ. Cela s'explique. Les muscles de l'animal qui travaillent le plus fort sont ceux qui servent à ses déplacements. Leurs fibres sous l'effet des efforts à consentir se densifient. Dans la région des épaules et des cuisses, les plans musculaires sont nombreux pour satisfaire aux différents mouvements à effectuer ainsi qu'aux charges à supporter. On note une forte présence de tissus conjonctifs, de tendons et de cartilages dans ces régions. Rien qui laisse entrevoir une quelconque tendreté. Et pourtant! Nous verrons un peu plus tard qu'on peut obtenir un résultat d'une grande tendreté en choisissant ces pièces et en les soumettant à un mode de cuisson approprié.

On estime généralement que les pièces les plus tendres sont tirées des parties de l'animal qui travaillent le moins fort. C'est souvent d'ailleurs autour de ces plans musculaires peu sollicités par les efforts qu'on retrouvera les dépôts graisseux les plus importants, la graisse trouvant moins d'espace où se loger dans les plans musculaires plus denses.

De là à associer immédiatement gras et tendreté, il n'y a qu'un pas. Mais pour qu'une pièce de viande soit tendre, doit-elle nécessairement être grasse. Eh bien, pas nécessairement!

Il va de soi qu'un bifteck d'aloyau bien persillé et bien marbré sera tendre à souhait, si on ne l'a pas desséché à la cuisson. Dès qu'un bon persillage et un bon marbrage sont réunis, on peut être assuré que les conditions essentielles sont présentes pour anticiper de la tendreté. La raison en est simple. Le gras, en fondant sous l'action de la chaleur, apporte de la tendreté en lubrifiant les fibres musculaires pendant la cuisson. Mais il ne fait pas que cela. Il apporte du goût également, car il est constitué de substances qui dégagent sous l'effet de la chaleur des composés aromatiques qui vont se dissoudre dans la pièce. Le gras qui fond fournira, en plus, un certain moelleux à l'ensemble, ce qui est plaisant au palais et qui influe sur l'impression agréable qu'on retire à consommer une telle viande. Est-ce dire qu'une pièce dépourvue de gras visible est vouée à ne procurer que de l'insatisfaction? Loin de là!

La façon de cuire a-t-elle un rôle dans la tendreté?

Il y a un autre moyen d'amener de la tendreté et de la saveur aux viandes plus denses et même fibreuses. Il consiste à les cuire lentement à feu doux et de façon prolongée de manière à ce que les substances fibreuses et cartilagineuses se décomposent sous l'effet de la chaleur prolongée et libèrent les substances aromatiques qu'elles contiennent dans leurs fibres et le cartilage. Les braisés et les mijotés amènent ce type de résultat et pour peu qu'on ait préalablement procédé au brunissement des composantes (auquel nous consacrons plus loin toute une

section), on est en droit de s'attendre à des résultats totalement savoureux.

Toutes les pièces de viande ne sont pas également compatibles avec une cuisson prolongée. Pour les pièces tirées des parties les plus tendres, il faut préconiser une cuisson à chaleur sèche: il faut alors griller, sauter, rôtir, tout juste le temps nécessaire pour atteindre le degré de cuisson désiré. Pour les pièces tirées des parties les moins tendres, il faut rechercher une cuisson à chaleur humide: il faut alors braiser dans très peu de liquide, laisser frémir ou lentement mijoter dans un bon bouillon, mais en tout cas laisser cuire longuement ce genre de pièce qu'on choisira de préférence avec une bonne présence de tissus conjonctifs, de gras interstitiel, d'os et de cartilage. Quant aux pièces plutôt maigres tirées des gros plans musculaires de l'animal, au niveau des cuisses par exemple, le rôtissage à chaleur sèche semble la méthode la plus appropriée.

Chaque mode de cuisson, on le verra plus tard, engage un processus de transformation qui lui est propre. Nous voilà donc engagés dans de remarquables phénomènes relevant de la chimie alimentaire et qui ont à voir avec les transformations amenées par l'exposition à la chaleur. Nous allons vous les expliquer en détail et, tout au long de cet ouvrage, vous les souligner en traitant des différentes viandes et découpes qui sont disponibles dans nos marchés.

Les principales **techniques** de cuisson

Les principales techniques de cuisson s'appliquent, règle générale, assez uniformément à toutes les viandes, que ce soit le bœuf, le veau, l'agneau, le porc, et aussi bien aux viandes sauvages qu'aux viandes d'élevage, ainsi qu'aux volailles prises dans un sens large. Bien sûr, les particularités des pièces à cuire ne sont pas rigoureusement identiques d'une bête à l'autre. Un rôti de porc n'a pas la même texture et ne se présentera pas dans la même taille qu'un rôti de bœuf ou de veau et il faut en tenir compte lorsqu'on applique une même technique de cuisson à ces différentes pièces, ne serait-ce que pour adapter la durée totale de la cuisson à la taille et à la densité de chacune des viandes.

Ces principales techniques peuvent donc se décrire en termes généraux. Au moment de les appliquer, et c'est le cas dans les recettes qui sont proposées dans cet ouvrage, quelques indications spécifiques seront données pour tenir compte des particularités de la pièce à cuire.

Disons tout d'abord que ces techniques se partagent en deux groupes : les techniques de cuisson à la chaleur humide et les techniques de cuisson à la chaleur sèche.

Les techniques de cuisson à chaleur humide

Traitons d'abord de cette première catégorie qui convient particulièrement bien aux pièces de viande moins tendres, car la chaleur humide pénètre, imbibe, ramollit et assouplit progressivement les fibres, les tissus conjonctifs et les différentes composantes présentes dans le muscle lorsqu'elle est appliquée sans excès de chaleur et suffisamment longtemps pour produire l'effet voulu. Nous aborderons surtout le braisage et le mijotage, avec un survol des techniques dérivées de ces deux principales techniques de cuisson.

Mais avant de faire braiser ou de mettre à mijoter une viande, il est important de ne pas sauter une étape cruciale pour qui souhaite obtenir un maximum de saveur de la pièce à cuire. Il faut d'abord bien la brunir. On ne soulignera jamais assez l'importance de cette étape essentielle pour amener de la saveur à toutes cuissons par chaleur humide.

Le brunissement

Voilà une étape souvent oubliée et, quand ce n'est pas le cas, la plupart du temps insuffisamment exécutée.

Elle consiste à procéder au brunissement intensif de la pièce à cuire (et le mot intensif est ici utilisé pour montrer qu'il ne suffit pas d'obtenir une légère coloration seulement) avant de passer à la cuisson proprement dite. Cette étape est cruciale, on ne le dira jamais assez. Certains y voient une façon de saisir la surface d'une pièce de viande de manière à sceller les jus à l'intérieur et éviter qu'ils ne s'échappent pendant la cuisson. Sans être totalement faux, cela n'est pas totalement vrai non plus. Quoiqu'on fasse, rien ne peut empêcher une part de l'humidité interne de s'évaporer en cours de cuisson et ce n'est pas le rôtissage de la surface externe de la pièce, si bien exécuté soit-il, qui créera une barrière totalement efficace contre le dessèchement. Le brunissement doit absolument être fait, mais pour une toute autre raison.

Réaction de Maillard

L'action de brunir les faces externes des pièces à cuire joue un rôle important dans le développement des saveurs. En fait, cette action déclenche une séquence de réactions chimiques connues sous le nom de Réaction de Maillard du nom du chimiste français qui a identifié le phénomène qui se produit en présence de sucres et de protéines chaque fois qu'on augmente la température d'un aliment qui en contient. De quoi s'agit-il ? Il s'agit de réactions en cascade qui entraînent des composés chimiques à interagir entre eux et former de nouveaux composés aromatiques ayant chacun une saveur et un arôme distincts. Tout aliment soumis à ce phénomène développe un surcroît de saveurs riches et complexes.

Désormais, plutôt que de voir dans le brunissement une simple étape dans la méthode à suivre, il faut plutôt y voir le processus essentiel par lequel il y aura libération de saveurs plus intenses qui serviront à conférer à l'aliment un goût spécifique et remarquable.

Ceux qui d'habitude se désolent à constater que la cuisson à feu vif d'une pièce de viande provoque en grillant des fumées désagréables et des éclaboussures qu'il vaut mieux éviter, commettent donc un acte de lèze-saveur et nous nous efforcerons dans cet ouvrage de les convaincre de voir les choses autrement pour leur plus grand bénéfice. En effet, rien d'autre ne saurait recréer de la saveur aussi efficacement que l'emploi de cette méthode.

Pour procéder à un brunissement efficace, il est nécessaire que la pièce à cuire ait d'abord été sortie du réfrigérateur assez longtemps pour être amenée à la température ambiante, qu'elle ait été bien asséchée en surface pour limiter les éclaboussures et favoriser la prise de contact avec le fond du récipient. Une cocotte en fonte émaillée dont les rebords sont hauts d'environ 13 à 16 cm (5 à 6 po) est l'outil idéal pour procéder au brunissement. Il suffit de préchauffer le récipient et d'y verser un peu d'huile (idéalement d'arachides) de manière à griller rapidement la surface de l'aliment sans le bouger et l'amener au brunissement avant de tourner et de présenter d'autres surfaces au brunissement. La chaleur doit être suffisante pour saisir sans délai, autrement on risque de provoquer un bouillonnement non souhaitable qui déshydrate l'aliment et n'engage pas la réaction aromatique souhaitée.

Le braisage

Le braisage consiste à cuire une pièce de viande sous couvert à feu doux, mais en cuisson prolongée, dans un minimum de liquide. Par quel phénomène, une pièce peu tendre soumise à ce type de cuisson en

sortira-t-elle attendrie et goûteuse à souhait? Tout s'explique par la présence essentielle des tissus conjonctifs, des cartilages et du gras intra et extramusculaire qui caractérise ce type de pièce de viande.

Sous l'effet de la chaleur, les gras se liquéfient et libèrent des substances aromatiques solubles qui pénètrent la viande. Mais ce n'est pas tout! Le collagène, qui est la matière première constituant les tissus conjonctifs, est également présent de façon importante dans les cartilages, les tendons et dans les fibres musculaires. Il fond progressivement et se décompose notamment en gélatine. Il se propage entre les fibres et, dans sa lente migration vers la surface, maintient tout au long du processus de cuisson une lubrification interne du muscle.

Pour ce faire, il faut cependant éviter que le collagène ne se libère trop rapidement et ne s'évapore trop vite en l'exposant à une chaleur trop forte. Il faut s'assurer que la chaleur soit tout juste suffisante pour permettre un léger frémissement du liquide plutôt que son bouillonnement. C'est pourquoi il est préférable de déposer le récipient de cuisson au four plutôt que de le laisser sur un élément du dessus de la cuisinière. Lorsqu'on veut cuire doucement, la chaleur ambiante du four qui enveloppe tout le récipient est préférable à la chaleur directe de l'élément sur lequel est déposé le récipient. Il est également plus facile de stabiliser la température du four tout au long du processus de cuisson.

Le mijotage

Mijoter une viande consiste à cuire de façon lente et prolongée des pièces de

viande, généralement taillées en cubes ou en morceaux d'égale dimension, dans une quantité de liquide suffisante à recouvrir les pièces à cuire et qu'on appellera « bouillon ». Ce dernier est généralement assaisonné et complémenté de légumes et d'herbes aromatiques, de manière à conférer un supplément de goût à la viande ainsi mise à cuire.

Cette technique de cuisson figure parmi les plus anciennes et se distingue du braisage par la quantité de liquide utilisée et par le fait que la chaleur se transmet à la pièce à cuire directement par trempage dans le bouillon chaud. Les principes de cuisson sont plutôt semblables à ceux du braisage et il est ici aussi préférable d'utiliser des pièces de viande contenant du gras inter et intramusculaire ainsi que des tissus conjonctifs pour les mêmes raisons que lorsqu'il s'agit de cuire par braisage.

Il importe également de bien assécher les pièces à cuire et comme pour le braisage, d'effectuer un réel brunissement pour obtenir une bonne caramélisation des sucs. Il vaut mieux procéder par petites quantités à la fois pour se donner la chance de tourner les cubes ou morceaux sur toutes leurs faces. Pour vérifier que l'huile et le récipient sont à bonne température, on commence par déposer une seule pièce qui doit être saisie dès qu'elle entre en contact avec le fond. Une fois les pièces bien saisies sur toutes leurs faces, on vérifie qu'il reste assez d'huile pour brunir les légumes aromatiques qu'on a choisi d'y mettre. Enfin, un bon déglaçage des sucs et des particules qui ont adhéré au fond du récipient permettra de profiter de toutes les saveurs dégagées par le brunissement. On remet toutes les pièces à cuire dans le récipient, on mouille le tout du bouillon jusqu'à couvrir entièrement de liquide et on laisse mijoter le tout au moins deux bonnes heures à petit feu, idéalement au four, ou bien sur un élément du dessus de la cuisinière. C'est le genre de plat qui peut se faire la veille et qu'on réchauffera le lendemain à feu doux, une demi-heure avant de servir. Il n'en sera que meilleur. Cette façon de procéder a comme second avantage de pouvoir facilement retirer le gras qui se sera figé à la surface du bouillon une fois tiédi ou entièrement refroidi.

Il existe d'autres techniques de cuisson faisant intervenir la chaleur humide. Ce sont des dérivés du braisage ou du mijotage.

Le pochage

Le pochage, un dérivé du mijotage, consiste à immerger une pièce à cuire dans un liquide (souvent un bouillon aromatisé) amené au frémissement (environ 80 ºC - 180 ºF) soit à une température insuffisante à produire une ébullition, mais tout juste suffisante à provoquer un léger mouvement à la surface du liquide de cuisson. On s'en sert davantage pour les viandes tendres, à la limite délicates au point de ne pas supporter de grande chaleur et qui ne seront soumises à ce type de cuisson que fort peu longtemps. On aura compris qu'il s'agit d'une approche de cuisson toute en délicatesse. C'est donc dire que la pièce à cuire n'aura été soumise à aucun brunissement préalable.

Le braisage avec arrosage

Cette technique, dérivée du braisage, consiste à cuire lentement, généralement

au four à feu moyen (160 °C - 325 °F) une viande dans une assez petite quantité de liquide (vin, eau, bouillon, fonds ou bière). On se sert périodiquement de ce liquide pour arroser la pièce. Une part de ce liquide se transformera en vapeur à l'intérieur du contenant et dans le four, entraînant également une cuisson par étuvage.

La taille des pièces à cuire de cette manière est parfois trop volumineuse ou de forme peu pratique pour procéder préalablement au brunissement des surfaces. L'arrosage périodique des surfaces avec un bouillon riche en saveurs est un procédé qui sert à recréer une croûte aromatique et pallier l'absence de brunissement préalable.

L'étuvage en milieu humide

Cette technique, elle aussi dérivée du braisage, sert autant à réchauffer qu'à cuire une viande par l'action de la vapeur et sans qu'il y ait contact avec le liquide de cuisson. Certaines pièces peu tendres bénéficieront d'une cuisson prolongée à la vapeur, une méthode qui a l'avantage de ne pas provoquer le dessèchement lors de la cuisson. Règle générale, on ne procède pas au brunissement préalable des surfaces, mais il est fréquent d'enduire ces dernières d'aromates et épices qui lui conféreront certaines saveurs en cours d'étuvage.

Quelques mots brefs pour situer deux autres façons de cuire en milieu humide.

La cuisson sous pression

La cuisson sous pression est une méthode efficace et rapide de provoquer certains des effets d'une cuisson prolongée. La cuisson s'y réalise en créant dans le récipient une étuve sous haute pression. La chaleur intense à laquelle la vapeur soumet la pièce à cuire accélère le processus de ramollissement des fibres, mais provoque la migration excessive des sucs que contiennent les fibres vers la périphérie et leur expulsion de la pièce. Il en résulte une déperdition des saveurs de la viande au profit du bouillon dans lequel elle baigne. Servie sans ce bouillon, la viande aura perdu tout son goût. Le seul avantage qu'on peut donc escompter de cette façon de cuire sera d'avoir gagné du temps à exécuter le plat. Va pour les affamés, mais certainement dommage pour celui qui préfère se régaler plutôt que de simplement se sustenter.

La cuisson au micro-ondes

La cuisson au micro-ondes est incontestablement efficace pour produire une cuisson rapide. Dans les substances à cuire, il y a des molécules d'eau que le bombardement des micro-ondes agite, provoquant ainsi un frottement avec les autres substances et conséquemment une chaleur. La chaleur ne se propage pas progressivement de la surface vers le centre, mais de façon égale et quasi spontanée partout à l'intérieur de la pièce et atteint rapidement le point d'ébullition. En bref, cette méthode consiste à bouillir en un temps record ce qu'on y met à cuire. Nous estimons que le produit final en ressort amoindri, parfois édulcoré, souvent brisé dans ses fibres et sans amélioration du goût quand ce n'est pas d'être affecté par l'effet inverse, c'est-à-dire une déperdition de saveur.

Les techniques de cuisson à chaleur sèche

Abordons maintenant les techniques de cuisson à chaleur sèche. Nous traiterons ici surtout du grillage et du rôtissage et survolerons quelques techniques dérivées de ces deux approches.

Le grillage

Voilà probablement la technique de cuisson la plus ancienne que l'homme ait utilisée après avoir constaté que la viande cuite avait un goût supérieur à la viande crue. Elle consiste à présenter une pièce de viande à la chaleur intense soit d'une flamme nue, lorsque déposée sur la grille du BBQ, soit d'un élément électrique porté au rouge comme le grilloir de votre cuisinière, lorsque déposée sur une plaque allant au four.

Il est préférable que la pièce à cuire soit à température ambiante, bien asséchée et assaisonnée au goût. Elle peut avoir été débarrassée de tout gras superflu si l'on veut éviter de provoquer de brusques flambées dans le BBQ, des éclaboussures sous le gril et dans la poêle et des fumées résultant d'une combustion imparfaite et dont le goût n'est pas plaisant.

On peut également griller une viande en l'embrochant et en la faisant tourner lentement à proximité ou au-dessus d'une source de chaleur intense. Griller ou rôtir sont ici des termes synonymes et cette façon de griller sans contact direct avec le récipient ou la grille n'est qu'une variante du même procédé.

L'exposition à la chaleur intense amène la formation d'une croûte à la surface de la pièce à cuire et ce bien avant que l'intérieur ait eu le temps de cuire au point désiré. C'est pourquoi il faut consacrer à ce type de cuisson des pièces déjà tendres (car la chaleur n'aura pas le temps de les attendrir) et de format plus petit (une trop grande épaisseur retardant la progression de la chaleur jusqu'au centre de la pièce). Plus petit ne signifie pas mince. Sous la chaleur intense des grils, des grilles et des poêlons, une pièce très mince cuira si rapidement que la surface n'aura pas eu le temps de développer le croûté caractéristique et recherché par cette technique de cuisson. L'expérience nous a montré qu'il vaut mieux opter pour des pièces de bonne épaisseur (mais aussi d'égale épaisseur) d'au moins 2,5 cm (1 po) et même préférablement un peu plus, afin de se donner la chance d'obtenir un bon ratio de cuisson extérieur/intérieur.

Sur la grille du BBQ, comme dans la poêle, la pièce soumise à la chaleur intense aura tendance à coller à la surface de cuisson dans un premier temps. Toutefois, si on laisse à la croûte le temps de se former, il sera facile de la décoller et de retourner la pièce pour compléter la cuisson. L'étape du brunissement ne sera réalisée que sur la première face seulement, car la bonne méthode consiste à ne pas retourner la pièce fréquemment, mais plutôt de laisser la cuisson se parfaire sur une face avant de ne retourner qu'une seule fois pour terminer la cuisson sur l'autre face. Le temps d'exposition à la source de chaleur sur la deuxième face variera selon le degré de cuisson recherché, mais il sera de toute façon beaucoup plus court que le temps passé à cuire la première face, sauf pour ceux qui désirent atteindre un plus haut degré de cuisson. Il est bien entendu interdit d'exercer une pression sur la pièce pendant la cuisson, ce qui ne fait qu'expulser les sucs et substances aromatiques si précieuses et dessèche la viande.

Certains sont portés à faire usage d'huile dont ils enduisent au préalable la pièce à cuire afin d'éviter que la pièce ne colle à la grille de cuisson, à la poêle ou ne se dessèche trop rapidement. De la même manière, si l'on a préalablement mis à mariner une pièce de viande, on pourra laisser un peu du liquide de marinade sur la surface avant de l'exposer à la chaleur intense. Même si l'on a recours fréquemment à cette pratique, elle n'est pas aussi nécessaire qu'on le croit. Cette façon de faire nous semble utile seulement si l'épaisseur de la pièce à cuire ne permet pas de prolonger le temps de cuisson jusqu'à la formation d'une croûte et qu'il faut hâter le brunissement en provoquant, avec cet ajout d'huile, une cuisson rapide de la surface par friture.

Le rôtissage

C'est la technique idéale lorsqu'il s'agit de cuire des pièces d'assez bonne dimension, et ce, depuis l'époque médiévale. Qu'on l'embroche au-dessus d'un feu de braises ou qu'on dépose la pièce dans un récipient de bonne grandeur comme une lèchefrite ou une large casserole allant au four, le processus de cuisson qu'on enclenche de la sorte est le même. Cette cuisson s'effectue à sec, c'est-à-dire sans que

la pièce soit en contact avec un liquide. Elle demande une assez longue période de cuisson à température contrôlée. Elle s'adresse à des pièces généralement tendres au départ et de bonne taille.

Si l'on choisit de rôtir dans un récipient, il faut de préférence déposer la pièce sur une petite grille ou clayette. Cette précaution vise deux objectifs : éviter le contact direct de la pièce à cuire avec le fond du récipient de cuisson; éviter également que la pièce ne baigne éventuellement dans son jus de cuisson.

Pour bien rôtir, il faut procéder en trois étapes : saisir à haute température (230 à 260 °C ou 450 à 500 °F) de 15 à 20 minutes, ce qui remplacera l'étape du brunissement, cuire à température modérée (150 à 175 °C ou 300 à 350 °F) après avoir déposé dans le récipient les légumes et herbes aromatiques choisis (vérifier la cuisson 15 minutes avant la fin du temps déterminé) et permettre un temps de pause à basse température (hors du four sous couvert ou enveloppé d'aluminium, au moins 10 minutes) pour détendre la pièce et répartir uniformément la chaleur et les jus de viandes dans la pièce. Ces trois étapes sont essentielles et il faut avoir la patience et la minutie de bien les exécuter. Voilà le secret.

Le grillage à la poêle

Il est certainement possible de très bien griller une pièce de viande à la poêle. Le premier inconvénient est d'accepter que le lieu où se fait cette cuisson soit affecté par les fumées que provoque le saisissement à chaleur intense, car il s'agit bien de saisir à feu vif, sans aucun corps gras. Tout le secret est là. L'autre inconvénient réside dans la taille de la pièce à cuire. Il faut avoir déterminé l'exacte épaisseur qui permette d'atteindre le degré de cuisson intérieur voulu sans que l'extérieur cuise trop et se durcisse. D'où l'importance de travailler avec une pièce de viande qui a préalablement été amenée à la température ambiante.

Revenir ou sauter à la poêle

Ici, la méthode demande de faire une légère entorse au principe de cuisson par contact avec une source de chaleur sèche. Cette méthode sera appliquée à de petites pièces de viande qui cuiront rapidement à chaleur moyenne-élevée dans très peu d'huile et de beurre pour favoriser l'accélération du brunissement. L'huile n'intervient ici que pour compenser le manque d'épaisseur des pièces qui ne permet pas de prolonger la cuisson assez longtemps pour amener naturellement la caramélisation des sucs en surface.

Dans les chapitres qui suivent, nous soulignerons pour chaque recette les techniques de cuisson qu'il convient d'utiliser avec les diverses découpes de viande.

Les temps de cuisson

Maîtriser les différentes techniques de cuisson n'est pas difficile en soi. Le défi est de savoir quand s'arrêter. Nous abordons un sujet où l'expérience acquise compte pour beaucoup. Mais il existe des moyens de contrôler la durée de cuisson, lorsque l'expérience manque encore un peu.

Habituellement, les ouvrages de cuisine nous donnent des indications en fonction du poids de la pièce à cuire. Ces indications ne sont pas idéales. Ce qui importe d'abord, c'est de juger de la taille et de la forme de la pièce à cuire. Prenons pour exemple deux pièces de même épaisseur taillées dans la longe de bœuf. La première mesure 16 cm (6 po) de longueur et la seconde 32 cm (12 po) de longueur. Le temps de cuisson de la seconde pièce doublera-t-il parce que son poids est doublé? Pas nécessairement. Chaque pièce étant de même épaisseur, la surface de chacune exposée à la chaleur passe du simple au double. En fait, le temps nécessaire à cuire la seconde sera pratiquement identique au temps mis pour cuire la première. On voit donc que le poids n'est pas un indicateur efficace du temps de cuisson. Superposons et fixons ensemble les deux pièces et nous verrons que le temps nécessaire pour obtenir le même degré de cuisson interne en sera pratiquement doublé. La masse et la taille de la pièce à cuire sont donc des indicateurs plus significatifs quand vient le temps de déterminer le temps de cuisson.

Déterminer le temps de cuisson est une appréciation empirique. Il faut, d'une part, tenir compte des caractéristiques de l'appareil de cuisson et de sa constance thermique. Il faut ensuite évaluer la masse et la forme de la pièce à cuire, de même que sa température interne (température ambiante ou tout juste sortie du frigo) au moment de la mettre à cuire.

Il est également plus facile de cuire une pièce de dimension uniforme. Si tel n'est pas le cas, on essayera en la repliant sur elle-même de lui donner une forme uniforme et de l'attacher ainsi. Mais si cela n'est pas possible, il sera sans doute préférable de tailler la pièce à cuire de manière à lui donner une épaisseur uniforme et de cuire séparément le ou les morceaux de taille différente en variant la durée de cuisson selon l'épaisseur de chacun.

L'expérience, on le voit, joue ici un rôle important, mais il y a moyen d'y pallier en utilisant certains outils prévus à cette fin.

Disons d'abord que le thermostat de four dont est munie votre cuisinière n'est qu'un indicateur approximatif. Certains fonctionnent mieux que d'autres, mais il est également probable que l'âge finira par avoir raison de leur exactitude de fonctionnement.

C'est pourquoi il est recommandé d'utiliser un thermomètre à viande lorsqu'on veut bien juger du temps requis pour atteindre la cuisson désirée. Plusieurs modèles existent et la qualité a son prix. Comme l'inexactitude est la dernière chose que nous recherchions, nous vous suggérons de mettre toutes les chances de votre côté et de vous procurer un appareil fiable.

Nous apprécions particulièrement le modèle qui utilise une sonde piquée au centre de la partie la plus charnue de la pièce, prolongée d'un câble pouvant supporter la chaleur du four ou du BBQ et qui se branche à un lecteur posé en retrait de la source de chaleur et qui donne une lecture constante de la température interne de la pièce qui cuit. Ce type d'appareil existe en version analogique (avec des aiguilles) et en version numérique (avec des chiffres) et nous sommes d'avis que ce dernier modèle qui affiche les dixièmes de degrés soit le plus utile.

Vous noterez que la progression de la chaleur vers le centre de la pièce qui cuit se fait lentement au début et rapidement par la suite. Dès qu'on approche du degré de température interne souhaité, il importe de rester attentif à ne pas le dépasser.

Tableau des temps de cuisson en °C (°F)

	Très saignant		Saignant		
	Retirer à	Température idéale après repos	Retirer à	Température idéale après repos	
Steak de bœuf/côtelettes d'agneau	49 (120)	49 (120)	52 (125)	52 (125)	
Rôti de bœuf, d'agneau	46 (115)	49 (120)	50 (122)	52 (125)	
Côtelettes de veau de 3 cm (11/4 po)					
Rôti de veau					
Côtelettes de porc de 3 cm (11/4 po)					
Côtelettes de porc de plus de 3 cm (11/4 po)					
Rôti de porc					

Cinq minutes de plus que nécessaire en fin de cuisson pourront sérieusement modifier le résultat final. N'oubliez pas que la pièce continue de cuire une fois retirée du feu ou sortie du four. Il est souvent préférable de se fixer une cuisson légèrement moins achevée, quitte à la revérifier une fois le temps de pause complété. Vous remarquerez probablement que la cuisson désirée a été atteinte.

Pour vous faciliter la tâche, nous avons regroupé sous forme de tableau les niveaux de température interne à respecter selon la coupe et le type de chair, pour obtenir le degré de cuisson voulu.

Médium saignant		À point		Bien cuit		Très cuit	
Retirer à	Température idéale après repos	Retirer à	Température idéale après repos	Retirer à	Température idéale après repos	Retirer à	Température idéale après repos
52 (125)	55 (130)	60 (140)	63 (145)	69 (155)	71 (160)		
52 (125)	55 (130)	57 (135)	60 (140)	69 (155)	71 (160)	74 (165)	77 (170)
52 (125)	55 (130)	57 (135)	60 (140)	69 (155)	71 (160)		
55 (130)	57 (135)	60 (140)	63 (145)	67 (152)	71 (160)	74 (165)	77 (170)
58 (137)	60 (140)	63 (145)	66 (150)	66 (150)	69 (155)		
58 (137)	60 (140)	63 (145)	66 (150)	69 (155)	71 (160)		
58 (137)	60 (140)	65 (148)	67 (152)	69 (155)	71 (160)	74 (165)	77 (170)

l'Agneau

L'agneau

L'agneau connaît depuis quelques années un certain succès, probablement amené par le développement d'un élevage local plus attentif qui produit des animaux dont la viande possède désormais des vertus gustatives exceptionnelles. Il faut dire qu'historiquement, nous avons été soustraits aux bénéfices de pouvoir consommer fraîche la viande de cet animal, surtout parce qu'il supportait mal nos conditions climatiques. Nous étions donc réduits à l'acheter congelé et provenant d'autres régions du monde, notamment de Nouvelle-Zélande.

L'arrivée chez nous de nouveaux immigrants de toutes origines, grecs, moyen-orientaux, africains du nord, indiens, espagnols ou français, pour qui l'agneau constitue une viande hautement populaire et appréciée, a contribué à créer les conditions de marché qui nous valent de produire désormais l'un des agneaux les plus savoureux de la planète.

Comment déterminer la qualité d'une pièce d'agneau

L'agneau possède des saveurs et un goût bien différent selon son âge, sa provenance et son alimentation. Par définition, l'agneau est le petit mâle ou la petite femelle de la brebis, âgé de moins de 300 jours. Passé cet âge, il change de nom pour devenir un mouton dont la viande est généralement moins fine et le goût plus marqué.

Les modes d'élevage de l'agneau destiné à la consommation sont multiples. Il peut être élevé strictement au lait maternel, ou bien être nourri d'une diète de fourrage dans des enclos le plus souvent à l'intérieur, mais parfois à l'extérieur si le climat le permet, ou enfin être mis à brouter librement dans des pâturages à ciel ouvert.

S'il est élevé au lait en enclos fermé dans une bergerie, sa chair sera blanche, délicate et tendre. On l'abat entre 30 et 40 jours après sa naissance, alors qu'il n'est pas encore sevré et qu'il a atteint un poids variant entre 10 et 15 kg.

On appelle agneau de boucherie ou agneau blanc celui qui a été élevé en enclos, en bergerie, mais alimenté en grains et fourrage; sa chair prendra alors une teinte plus colorée et sa saveur, tout en restant fine et élégante, aura un goût plus marqué. Il sera envoyé en boucherie entre 70 à 150 jours, après avoir atteint un poids variant entre 16 et 25 kg.

S'il est élevé en pâturages extérieurs où il a la liberté de se déplacer à sa guise, il devient un broutard. Il sera plus actif, sa chair plus grasse et sa saveur plus intense. Il sera mené à l'abattoir entre 150 et 300 jours, pesant alors entre 25 et 35 kg.

L'origine, le type d'élevage, l'alimentation, ainsi que l'âge de la bête auront une influence certaine sur la saveur, la tendreté et la texture de sa chair. Nos élevages se sont raffinés et il est indéniable que la qualité est au rendez-vous. Votre boucher s'approvisionne sûrement en agneau du Québec, lequel n'a rien à envier à ce qui se produit d'excellent dans d'autres pays. On peut donc miser avec confiance sur nos élevages locaux. On a l'embarras du choix quand vient le temps de s'inspirer de recettes pour préparer l'agneau. On le retrouve dans toutes les cuisines du monde où il se prête à de nombreuses préparations culinaires. Il a la propriété de se marier merveilleusement bien aux herbes aromatiques, notamment le thym, le romarin, la sauge et la menthe. Certains le trouvent gras, ce qui n'est pas rigoureusement exact. Certaines pièces comme l'épaule montrent une présence en gras plus élevée, mais d'autres, en l'occurrence, les côtelettes, les longes, les filets, n'ont de gras que sur leur périmètre, lequel peut facilement être paré, laissant une viande maigre au point où il faut prendre quelques précautions pour éviter de la surcuire et de l'assécher.

Coupes de viande et modes de cuisson

La carcasse de l'agneau se subdivise de façon assez semblable aux autres quadrupèdes. Vu sa taille, il est souvent livré entier au boucher qui le détaillera en six parties primales : le collier, l'épaule, la poitrine, les côtes, la longe et la fesse. Les parties de l'épaule sont composées de plusieurs muscles qui permettent à l'animal de se mouvoir. Ils contiennent donc passablement

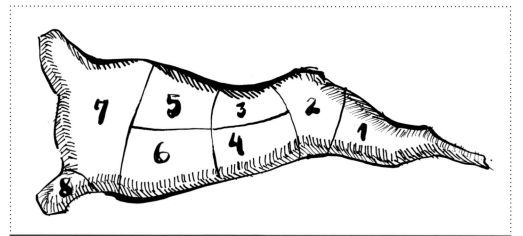

1. gigot entier, incluant la souris 2. selle 3. côtes (partie du filet) ou baron
4. bas de longe et flanc (côtes levées) 5. carré (9 côtes) et côtes découvertes (4 côtes)
6. poitrine ou épigramme 7. épaule et collier 8. jarret avant

de tissus conjonctifs et de gras intermusculaire et se prêteront bien aux braisés et aux mijotés, c'est-à-dire aux cuissons lentes et douces en milieu humide. On cuira de la même façon les pièces provenant de la poitrine, les hauts-de-côtelettes et le collier.

Les côtes ainsi que la longe qui termine le dos de l'animal sont des pièces de choix qui seront cuites à chaleur sèche, en grillades et rôtis pour les pièces les plus grosses et sur la grille comme à la poêle pour les découpes plus fines, en noisettes pour la longe et en côtelettes pour les côtes.

La fesse se cuit principalement en gigot entier ou raccourci. La selle, composée des muscles situés juste au-dessus du gigot, est une découpe spécifique, très prisée des Anglais et qui réunit les deux côtelettes et le filet en un seul morceau. Elle se sert rôtie ou grillée. Le baron, regroupant les deux gigots et la selle, est une découpe princière qui se sert en rôti ou à la broche.

Les temps et températures de cuisson

L'agneau présente plusieurs morceaux de choix. Les découpes vedettes sont bien sûr le carré composé de côtelettes, les côtes détaillées en côtelettes ou gardées entières, la longe détaillée en noisettes ou gardée entière, ainsi que le gigot. Toutes se retrouvent fréquemment inscrites aux menus des restaurants.

La chair de l'agneau de lait ou de boucherie est très tendre et sauf dans ses découpes les plus grasses, ne tolère pas de longue cuisson, car elle est à peine persillée. Les cuissons à chaleur sèche sont ici à privilégier et il importe de ne pas les prolonger indûment.

Si on utilise un thermomètre, une cuisson saignante est atteinte à 52 ºC (125 ºF) de température interne; une cuisson à point se situe à 60 ºC (140 ºF) et on arrive au bien cuit à 71 ºC (160 ºF). On constatera donc que la différence de température entre la cuisson saignante et la cuisson à point est à peine de 8 degrés en Celsius ou de 15 degrés en Fahrenheit. Il est essentiel d'atteindre 71 ºC (160 ºF) pour la cuisson de l'agneau haché.

Quand on sait que la chaleur pénètre dans les plans musculaires en suivant une courbe de progression de plus en plus rapide, il ne s'écoulera pas plus de cinq minutes pour passer d'un niveau de cuisson à l'autre. Sur la grille comme au four, il vaut toujours mieux cuire un peu moins et laisser reposer la pièce dans un espace tiède quelques minutes avant de servir, de manière à ce que la chaleur à l'intérieur de la pièce se répartisse uniformément. Ne pas oublier, surtout, que la cuisson se poursuit encore un temps, après que l'on a retiré la pièce du feu ou de la chaleur. Enfin un dernier conseil, n'oubliez pas que la forme de la pièce peut venir modifier le temps de cuisson; pour un même poids, plus la forme est allongée, plus la pièce cuit rapidement; plus son volume est massif et en rondeur, plus longue sera la cuisson.

Soupe à l'orge

POUR 4 PERSONNES | TEMPS DE PRÉPARATION : 10 MINUTES | TEMPS DE CUISSON : 1H 30

La cuisson à chaleur humide dans un bon bouillon, une fois l'agneau bien saisi, le rendra tendre à souhait et fera de cette soupe-repas un régal assuré.

YVES VOUS CONSEILLE :

On peut remplacer le collier d'agneau par de l'épaule désossée et coupée en cubes ou un jarret.

Un morceau de poitrine dégraissé et taillé en cubes ferait également l'affaire.

750 g (1 3/4 lb) de collier d'agneau, désossé et coupé en petits cubes d'au plus 1 cm (3/8 po) de côté.

15 g (1 c. à s.) de beurre

15 ml (1 c. à s.) d'huile

200 à 250 g (1 t.) d'orge perlé

1 litre (4 t.) de bouillon de volaille

1 branche de céleri, coupée en dés

1 navet, coupé en dés

1 pomme de terre, coupée en dés

Origan, persil, menthe

1 filet d'huile d'olive

1 pincée de sucre

1 jaune d'œuf

60 ml (1/4 t.) de crème 35 %

Dans une cocotte, chauffer le beurre et l'huile. Faire dorer les morceaux de collier d'agneau à feu vif. Retirer et réserver au chaud.

Verser l'orge perlé dans la cocotte pour l'enrober d'huile et de beurre et la faire dorer légèrement. Déglacer avec le bouillon de volaille en grattant le fond de la cocotte avec une cuillère en bois. Remettre la viande dans la cocotte. Faire cuire 40 minutes.

Ajouter le céleri, le navet et la pomme de terre. Ajouter les herbes, le filet d'huile d'olive, une pincée de sucre et laisser cuire encore 15 minutes.

En fin de cuisson, ajouter le jaune d'œuf préalablement mélangé à la crème.

Gigot d'agneau façon boulangère

POUR 6 OU 8 PERSONNES | TEMPS DE PRÉPARATION : 20 MINUTES | TEMPS DE CUISSON : 1 HEURE

1 gigot d'agneau de 3 à 3,5 kg (6 à 7 lb)

3 ou 4 gousses d'ail, taillées en bâtonnets

15 g (1 c. à s.) de beurre

45 ml (3 c. à s.) d'huile d'olive

200 g (1 t.) d'oignons, tranchés

2 kg (4 1/2 lb) de pommes de terre Yukon Gold, tranchées

125 ml (1/2 t.) de vin blanc

125 ml (1/2 t.) de fond d'agneau

Romarin, origan

Sel et poivre du moulin

La technique la plus classique proposée ici est celle du rôtissage qu'on vous explique en détail en page 31. Reposant sur l'oignon, le gigot ne trempe pas dans le liquide dont la fonction première est d'humidifier le four en cours de cuisson et assurer une cuisson plus rapide, sans dessécher la pièce. Cuit à sec dans la lèchefrite, c'est à dire sans aucun liquide, il faut habituellement compter une trentaine de minutes de cuisson par kilo (15 minutes par livre) pour une cuisson saignante à cœur, mais rosée pour le reste.

YVES VOUS CONSEILLE :

Évitez de faire des incisions au couteau dans le gigot pour le piquer d'ail, car cela favorise l'écoulement du sang en cours de cuisson. Enfoncez plutôt l'ail dans les interstices avec le pouce.

Sortir le gigot du réfrigérateur 1 heure avant de le mettre à cuire.

Préchauffer le four à 220 °C (425 °F).

Insérer les bâtonnets d'ail dans le gigot.

Dans une grande poêle, chauffer le beurre et l'huile d'olive. Faire dorer le gigot 2 minutes sur chacune de ses faces et réserver le gigot. Déglacer la poêle et réserver le jus de braisage qui servira à préparer la sauce.

Dans une lèchefrite, disposer les tranches d'oignons. Les laisser colorer sur feu moyen-vif, puis retirer du feu et étaler dessus les tranches de pommes de terre. Saler et poivrer. Arroser de vin blanc. Déposer le gigot sur les tranches de pommes de terre. Enfourner et cuire de 10 à 15 minutes.

Réduire la température du four à 175 °C (350 °F) et poursuivre la cuisson 30 minutes. Éteindre le four. Retirer le gigot, les pommes de terre et les oignons. Déposer dans un plat de service et couvrir le tout d'une feuille d'aluminium. Remettre au four et laisser reposer, porte entr'ouverte, le temps de préparer la sauce.

Dans la poêle, mélanger le jus de cuisson prélevé dans la lèchefrite et le jus de braisage. Ajouter le fond d'agneau et les aromates et laisser réduire quelques minutes à feu moyen-vif.

Noix de gigot

1 noix de gigot

1 gousse d'ail

15 g (1 c. à s.) de beurre

15 ml (1 c. à s.) d'huile

15 g (1 c. à s.) de chapelure fine

Herbes de Provence

Sel et poivre du moulin

60 ml (¼ t.) de vin rouge

120 ml (½ t.) de fond d'agneau ou de volaille

Préchauffer le four à 205 °C (400 °F).

Frotter d'ail la noix de gigot.

Dans une grande poêle, chauffer le beurre et l'huile et faire dorer la viande sur toutes ses faces.

Retirer la viande et la placer dans un plat allant au four.

Dans un bol, mélanger la chapelure et les herbes de Provence. Enrober la viande de ce mélange. Saler et poivrer.

Faire cuire au four de 10 à 12 minutes.

Déglacer la poêle au vin rouge. Ajouter le fond d'agneau ou de volaille. Faire réduire la sauce d'un tiers.

Servir avec une purée persillée de petits navets cuits dans une eau bouillante additionnée d'un filet de jus de citron. On peut servir cette purée dans des demi-navets cuits et évidés que l'on passe quelques minutes sous le gril et que l'on remplira à la douille (ou autre) de purée de navets persillée, saupoudrée de chapelure fine.

La noix est une pièce de choix. Elle peut également se faire au barbecue, en la préparant comme l'indique la recette. La saisir à feu vif en la tournant sur toutes ses faces et terminer la cuisson à la chaleur indirecte et couvercle fermé. Servir rosé, sous peine de l'assécher en prolongeant trop la cuisson.

YVES VOUS CONSEILLE :

Sortir la noix de gigot du réfrigérateur ½ heure avant d'en frotter la surface d'ail. Il faut éviter de pratiquer des incisions dans la viande afin d'éviter l'écoulement des jus par ces incisions durant la cuisson.

Côtes d'agneau

POUR 4 PERSONNES | TEMPS DE PRÉPARATION : 5 MINUTES | TEMPS DE MACÉRATION : 30 MINUTES | TEMPS DE CUISSON : 8 MINUTES

8 côtes d'agneau dans le manche ou le filet, de 2 cm
(3/4 po) d'épaisseur

1 gousse d'ail, hachée

1 échalote, émincée

15 ml (1 c. à s.) d'huile d'olive

15 ml (1 c. à s.) de jus de citron

Herbes de Provence

Sel et poivre du moulin

Laisser reposer la viande 30 minutes dans le mélange d'ail,
d'échalote, d'huile, de jus de citron et d'herbes de Provence.

Éponger les côtes. Saler et poivrer.

Dans une poêle, faire dorer les côtes à feu vif, 3 ou
4 minutes de chaque côté pour une cuisson saignante.

Servir avec un taboulé ou une purée de pommes de terre.

*Si vous prévoyez faire cette recette
au barbecue, faites tailler vos
côtes à 2,5 cm (1 po) d'épaisseur.
Démarrez-les à feu vif après les
avoir bien égouttées et réalisez
le brunissement sur une seule
face. Vous les retournerez une
fois et poursuivrez la cuisson à
feu modéré, ou mieux, à chaleur
indirecte, en profitant de la chaleur
de la grille uniquement, mais à
couvercle fermé.*

YVES VOUS CONSEILLE :

*Faites couper le manche au bas
de la côte pour qu'elle reste bien
à plat.*

*Si vous voulez servir avec une
sauce, déglacez la poêle après
cuisson avec du vin blanc et
ajoutez un fond d'agneau.
Assaisonnez avec un peu de
cardamome, d'anis étoilé et de
romarin. Faites réduire et filtrez la
sauce avant de napper les côtes.*

Carré d'agneau en couronne

POUR 6 PERSONNES | TEMPS DE PRÉPARATION : 10 MINUTES | TEMPS DE CUISSON : 20 MINUTES

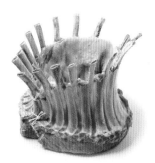

La technique de cuisson qui s'applique ici est celle du rôtissage, soit la plus ancienne et la plus classique des préparations. Il suffit de bien contrôler la durée de cuisson et de tenir compte du temps de repos au four lorsque vous en calculerez la durée totale.

YVES VOUS CONSEILLE :

Demandez à votre boucher de déchausser les manches des côtes du carré et d'enlever le dos afin de pouvoir découper le carré plus facilement.

2 carrés d'agneau de 9 côtes

2 gousses d'ail

1 échalote, hachée

Fines herbes au choix (thym, romarin, sarriette)

15 ml (1 c. à s.) de vin blanc

250 ml (1 t.) de fond de volaille ou d'agneau

Sel et poivre du moulin

Préchauffer le four à 205 °C (400 °F).

Frotter chacun des carrés avec l'ail.

Dans une poêle, chauffer le beurre et l'huile rapidement à feu vif. Mettre les échalottes. Réduire légèrement l'intensité du feu. Bien saisir et faire dorer en surface chacun des carrés. Retirer de la poêle et parsemer de fines herbes. Saler et poivrer au goût.

Assembler en couronne les deux carrés et les maintenir ensemble avec de la corde de boucher passée à mi-hauteur des os.

Déposer dans un plat allant au four. Enfourner et cuire 20 minutes. Éteindre le four. Ouvrir grande la porte du four un trentaine de secondes pour en abaisser la température, puis y laisser reposer la couronne, porte entr'ouverte, le temps de préparer la sauce.

Déglacer la poêle au vin blanc. Ajouter le fond de volaille ou d'agneau et laisser réduire de moitié.

Vous pouvez garnir l'intérieur de la couronne de marrons et de raisins frais sautés au beurre.

Servir avec un gratin de poivrons rouges et de courgettes, des haricots verts ou jaunes blanchis 8 minutes et sautés au beurre et à l'ail, ou encore une semoule de blé aromatisée au porto rouge au moment de servir, garnie de rondelles de citrons cannelées et de menthe fraîche. Au printemps, les légumes racines accompagnent aussi bien ce plat de réception.

Cassoulet à ma façon

POUR 6 PERSONNES | TEMPS DE PRÉPARATION : 1 HEURE | TEMPS DE TREMPAGE DES HARICOTS : 1 NUIT | TEMPS DE CUISSON : 1 H 20

Ce plat typiquement paysan tient son nom du contenant en terre cuite appelé « cassolo » dans lequel on le préparait jadis. La recette très ancienne est extrêmement appréciée dans le sud de la France qui en propose diverses versions. Qu'il soit de Castelnaudary (porc, oie, saucisson), de Toulouse (porc, canard, mais surtout agneau) ou de Carcassonne (porc, canard, perdrix, agneau), l'essentiel de la recette demeure le même. L'étape du brunissement des cubes de viande, et de la saucisse de Toulouse est absolument utile pour le développement des saveurs. Il faut de même respecter la durée des cuissons successives et briser sept fois (selon la tradition) la croûte qui se forme en surface. Cette méthode donne toutefois des résultats incomparables.

600 g (1½ lb) de haricots blancs secs

2 l (8 t.) d'eau froide

3 gousses d'ail, en chemise

1 oignon

4 clous de girofle

1 carotte

1 bouquet garni (thym, laurier, persil)

900 g (2 lb) d'échine de porc

1 saucisson de Lyon

900 g (2 lb) d'épaule d'agneau, coupée en cubes de 2,5 cm (1 po) de côté

2 saucisses de Toulouse

3 cuisses de canard, confites

3 grosses tranches de saucisson à l'ail, coupées en deux

1 grand carré de couenne de porc de 15 cm (6 po) de côté

200 g (½ lb) de graisse de canard

2 branches de céleri, coupées en fines tranches

2 tomates, coupées en dés

Sel et poivre du moulin

La veille, mettre les haricots à tremper dans 2 litres d'eau froide.

Le jour même, jeter les haricots restés à la surface.

Dans une cocotte, mettre les haricots à cuire dans l'eau froide avec l'ail, l'oignon piqué de clous de girofle, la carotte, le bouquet garni et l'échine de porc. Porter à frémissement et laisser frémir 20 minutes.

Ajouter le saucisson de Lyon et poursuivre la cuisson 20 minutes. Retirer le saucisson et réserver.

Écumer le bouillon et continuer la cuisson des haricots 10 minutes encore. Les haricots ne doivent pas être complètement cuits. Égoutter les haricots. Les garder dans un plat couvert.

Réserver le bouillon, l'échine de porc et le bouquet garni.

Couper l'échine de porc en gros cubes et le saucisson de Lyon en grosses rondelles.

Dans une cocotte, faire fondre la graisse de canard. Faire dorer les cubes d'échine de porc. Réserver.

Faire dorer les cubes d'agneau 4 ou 5 minutes. Réserver.

Faire dorer les saucisses de Toulouse. Les retirer. Les couper en deux. Réserver.

Faire dorer les cuisses de canard. Les retirer. Les effilocher ou les couper en deux. Réserver.

Faire dorer légèrement les demi-tranches de saucisson à l'ail et les rondelles de saucisson de Lyon. Réserver.

Allumer le four à 175 °C (350 °F).

Mélanger les haricots blancs, le céleri, les dés de tomate. Ajouter les cubes d'agneau, les morceaux d'échine de porc et le bouquet garni.

Dans un grand plat allant au four et assez profond, déposer la couenne de porc, le gras contre le fond du plat.

Poser le mélange de haricots sur la couenne. Couvrir de bouillon. Poser par-dessus les saucisses de Toulouse, les cuisses de canard, les morceaux de saucisson à l'ail et de saucisson de Lyon. Saupoudrer de chapelure.

Cuire au four 20 minutes.

Saupoudrer de nouveau de chapelure et rajouter une louche de bouillon. Remettre au four 20 minutes.

Répéter l'opération 3 ou 4 fois pour obtenir une belle croûte dorée. Ne pas oublier de rajouter du bouillon.

YVES VOUS CONSEILLE :

Vous aurez compris que cette recette s'adresse aux gros appétits. Pour un repas moins copieux, vous pouvez réduire les proportions, mais pas le temps de cuisson. On peut remplacer les cuisses de canard par des manchons de canard confits.

Il est très important de lire attentivement et plusieurs fois la recette avant de se lancer dans son exécution afin de bien avoir en mémoire les étapes de la préparation et de la cuisson.

Couscous

POUR 4 OU 5 PERSONNES | TEMPS DE PRÉPARATION : 20 MINUTES | TEMPS DE CUISSON : 2 H

La durée de cuisson de l'agneau n'est pas suffisante pour attendrir une pièce qui ne le serait vraiment pas au départ. Il faut donc veiller à se procurer des pièces qui sont déjà tendres. La côte découverte, le collier ou l'épaule coupée en cubes sont de bons choix. Bien dorés avant d'être mis au bouillon, ces morceaux amèneront une grande saveur à ce plat qui nous vient d'Afrique du Nord.

YVES VOUS CONSEILLE :

Les cubes d'agneau dans l'épaule sont chers. Des morceaux de collier et de poitrine, bien que plus gras, sont moins chers et feront tout aussi bien l'affaire.

2 l (8 t.) d'eau

3 ou 4 cuisses de poulet

Thym, laurier, coriandre, cumin, gingembre, paprika, muscade, anis étoilé

3 ou 4 courgettes (selon la taille), coupées en gros morceaux

5 ou 6 carottes, coupées en morceaux

1 grosse aubergine, coupée en gros morceaux

30 ml (2 c. à s.) d'huile d'olive

1 kg (2¼ lb) d'agneau, en gros cubes

5 merguez

500 g (2 t.) de semoule

60 g (4 c. à s.) de beurre

15 ml (1 c. à s.) d'huile d'olive

Le jus d'un citron

1 citron, cannelé et coupé en tranches

1 bouquet de menthe

1 boîte (540 ml) de pois chiche au naturel

15 g (1 c. à s.) de pâte de tomates

8 g (½ c. à s.) de harissa

Plonger le poulet dans une grande casserole d'eau froide. Porter à ébullition et laisser frémir 40 minutes. Écumer le bouillon. Retirer le poulet et réserver.

Ajouter les épices et les légumes.

Dans une sauteuse, chauffer l'huile et faire dorer les cubes d'agneau. Les ajouter au bouillon.

Faire dorer le poulet dans la sauteuse et l'ajouter au bouillon. Laisser mijoter 40 minutes.

Dans une poêle, faire cuire les merguez. Réserver.

Préparer la semoule : dans une casserole, déposer la semoule et la couvrir d'eau chaude. Ajouter 60 g (4 c. à s.) de beurre, le jus de citron et un filet d'huile d'olive. Couvrir et laisser gonfler 10 minutes.

Dans un couscoussier, ou à défaut, dans une passoire de métal placée au-dessus d'une casserole d'eau frémissante, faire cuire la semoule 10 minutes à la vapeur.

Disposer la semoule sur un plat de service. Décorer de tranches de citron cannelé et le bouquet de menthe fraîche.

Prélever 2 louches de bouillon. Ajouter la pâte de tomates.

Dresser le couscous bien chaud sur un lit de semoule, arrosé du bouillon.

Présenter la harissa (pâte de piments) à part, afin que chaque convive puisse se servir et relever le couscous à son goût.

Brochettes d'agneau

POUR 4 PERSONNES | TEMPS DE PRÉPARATION : 5 MINUTES | TEMPS DE CUISSON : 10 MINUTES

700 ou 800 g (environ 1½ lb) d'agneau maigre, en cubes

15 g (1 c. à s.) de beurre

15 ml (1 c. à s.) d'huile d'olive

2 poivrons verts ou rouges ou jaunes, coupés en quartiers et épépinés

2 oignons, coupés en quartiers

Petites tomates entières

30 ml (2 c. à s.) de vinaigre balsamique

Sel et poivre du moulin

Herbes de Provence

Dans une poêle, chauffer le beurre et l'huile. Faire dorer les cubes d'agneau 2 minutes. Retirer et réserver au chaud.

Dans la même poêle, faire revenir les poivrons et les oignons. Mouiller avec le vinaigre balsamique.

Enfiler la viande, les légumes et les tomates sur les brochettes en alternant. Saupoudrer d'herbes de Provence.

Faire cuire sur le barbecue ou sous un gril de 7 à 8 minutes en les retournant plusieurs fois.

Certains préfèrent mariner les cubes avant de les présenter à la grille du barbecue. Ce n'est pas absolument requis. Si vous cuisez à feu vif, ce qui n'est pas essentiel non plus, il faut badigeonner la viande et les légumes à l'occasion pour éviter le dessèchement. Une cuisson à feu modéré vous assure une meilleure marge de manœuvre si vous devez réaliser des niveaux de cuisson différents selon les goûts.

YVES VOUS CONSEILLE :

Demandez des cubes d'agneau bien maigres, pris dans la noix, le gigot ou la ronde et d'au moins 2,5 cm (1 po) de côté. Il est important de faire dorer les légumes dans la poêle utilisée pour dorer la viande, afin qu'ils s'imprègnent de sa saveur.

Steakettes ou boulettes d'agneau

POUR 4 PERSONNES | TEMPS DE PRÉPARATION : 10 MINUTES | TEMPS DE CUISSON : 10 MINUTES

1 kg (2 lb) d'agneau maigre, haché

3 gousses d'ail, émincées

2 échalotes, émincées

1 petite tomate, en dés

1 branche de romarin

2 branches de coriandre fraîche

60 ml (1/4 t.) de vin blanc (facultatif)

Sel et poivre du moulin

15 g (1 c. à s.) de beurre

15 ml (1 c. à s.) d'huile

Dans un bol, mélanger la viande hachée, l'ail et l'échalote, la tomate et les épices ciselées.

Façonner cette préparation en galettes ou en boulettes.

Dans une poêle, chauffer le beurre et l'huile. Cuire 10 minutes en retournant les galettes une fois. Les boulettes doivent être cuites sur toutes leurs faces.

Pour obtenir de l'agneau vraiment maigre, demandez à votre boucher des cubes pris dans le collier et l'épaule d'agneau, dont vous prendrez soin de retirer le gras et les membranes conjonctives avant de les hacher plus finement au couteau à défaut de hachoir. Veillez à conserver une part de gras si vous prévoyez cuire au barbecue.

YVES VOUS CONSEILLE :

Cette préparation conviendra parfaitement pour farcir des courgettes ou des aubergines, ou encore pour faire une moussaka. On peut lui ajouter des raisins de Corinthe ou les aromates de votre choix.

Navarin d'agneau

POUR 4 OU 5 PERSONNES | TEMPS DE PRÉPARATION : 15 MINUTES | TEMPS DE CUISSON : 1 HEURE

La technique utilisée ici est celle de la cuisson à chaleur humide par mijotage, dont vous trouverez des explications détaillées en page 24. Assurez-vous que le bouillon se maintienne à un léger frémissement. Il est plus facile de maintenir une température adéquate au four, plutôt que sur un élément de la cuisinière. Une grande partie de la cuisson se réalise à couvert. Retirer le couvercle 20 minutes avant la fin de la cuisson pour laisser réduire le bouillon et concentrer ses saveurs.

YVES VOUS CONSEILLE :

Faites couper l'épaule d'agneau en cubes réguliers de 2,5 cm (1 po) de côté.

N'égouttez pas les flageolets. Le jus servira à lier la sauce.

1 kg (2¼ lb) d'épaule d'agneau, en cubes

15 ml (1 c. à s.) d'huile d'olive

15 g (1 c. à s.) de beurre

3 ou 4 petits navets, coupés en morceaux

3 ou 4 carottes moyennes, coupées en rondelles

Une douzaine de petits oignons, blanchis

1 pincée de sucre

15 g (1 c. à s.) de farine

250 ml (1 t.) de vin blanc sec

500 ml (2 t.) de fond d'agneau ou de volaille

2 gousses d'ail, hachées

15 g (1 c. à s.) de pâte de tomates

1 brin de thym

1 feuille de laurier

15 g (1 c. à s.) d'épices mélangées (muscade, coriandre, origan, romarin)

1 petite boîte (540 ml) de flageolets au naturel

Sel et poivre du moulin

Dans une cocotte, faire chauffer le beurre et l'huile. Faire dorer les cubes de viande.

Retirer et réserver.

Dans la même cocotte, faire dorer les carottes et les navets. Réserver.

Faire dorer les petits oignons. Les sucrer. Réserver.

Remettre la viande dans la cocotte. Saupoudrer les cubes de farine que vous laisserez brunir en les remuant occasionnellement.

Mouiller au vin blanc et déglacer légèrement. Ajouter le fond d'agneau ou de volaille, la pâte de tomates, l'ail, le thym, le laurier et les épices. Remuer.

Ajouter les carottes et les navets. Laisser cuire 45 minutes à petit frémissement au four ou sur la cuisinière à feu bas.

Ajouter les petits oignons et les flageolets et laisser frémir encore de 5 à 10 minutes.

Épaule d'agneau

POUR 4 PERSONNES | TEMPS DE PRÉPARATION : 10 MINUTES | TEMPS DE CUISSON : 20 MINUTES

1 épaule d'agneau désossée de 1,2 à 1,5 kg (2 à 3 lb)

15 ml (1 c. à s.) d'huile d'olive

15 g (1 c. à s.) de beurre

1 gousse d'ail, émincée

1 échalote, émincée

3 g (1/2 c. à s.) de fines herbes (basilic, origan)

30 ml (2 c. à s.) d'huile d'olive

Sel et poivre du moulin

Dans une casserole, chauffer l'huile et le beurre et faire dorer l'épaule d'agneau sur toutes ses faces.

Dans un bol, mélanger l'ail, l'échalote, les fines herbes et l'huile. Badigeonner l'épaule de ce mélange. Saler et poivrer. Enfourner et cuire 20 minutes.

Éteindre le four et laisser l'épaule reposer dans le four, porte entr'ouverte 5 minutes.

Découper l'épaule en tranches fines et servir avec une salade ou avec de la semoule de blé cuite à la vapeur avec des raisins secs (Sultana ou raisins de Corinthe).

Que la cuisson soit faite à chaleur sèche au four ou sur la grille du barbecue, la technique demeure la même. Ses principes sont expliqués en page 30. Au barbecue, il faut veiller à ce que la cuisson se fasse à chaleur moyenne, couvercle fermé et idéalement à chaleur indirecte. Si votre pièce de viande a été désossée et que vous disposez d'un tournebroche, vous serez ravis du résultat. Veillez à poser sous la pièce un récipient pour conserver les jus de viande qui vous serviront à préparer une sauce exquise.

YVES VOUS CONSEILLE :

Demandez à votre boucher de désosser, dénerver, dégraisser l'épaule et de la séparer de son jarret. Elle sera meilleure si elle provient d'un jeune agneau.

Si vous voulez la faire cuire au barbecue, il faut la piquer de brochettes en bois pour donner de la structure aux morceaux de viande.

Jarret d'agneau

POUR 4 PERSONNES | TEMPS DE PRÉPARATION : 20 MINUTES | TEMPS DE CUISSON : 3 HEURES

Les jarrets sont recouverts d'une membrane conjonctive qu'il faut conserver durant la cuisson. Elle contient de la gélatine qui, sous l'effet de la chaleur, sera libérée et procurera aux muscles une certaine lubrification en cours de cuisson. Elle ajoutera également du moelleux à la sauce. Cette recette, réalisée à chaleur sèche dans une lèchefrite ouverte, emploie la technique du braisage à sec. Si vos jarrets proviennent des pattes avant de l'animal, les muscles seront moins volumineux. Verser alors l'équivalent de deux tasses d'eau dans un bol que vous placerez au four pour fournir de l'humidité durant la cuisson.

YVES VOUS CONSEILLE :

Demandez à votre boucher de dégager le manche du jarret pour une présentation plus soignée et plus attrayante.

4 jarrets d'agneau

30 g (2 c. à s.) de beurre

30 ml (2 c. à s.) d'huile d'olive

60 ml (1/4 t.) de vin blanc

12 gousses d'ail en chemise

12 pommes de terre grelots

1 navet, coupé en dés

2 courgettes, coupées en dés

2 carottes, coupées en dés

1 gousse d'ail, épluchée et émincée

1 échalote, émincée

125 ml (1/2 t.) de fond d'agneau ou de volaille

Aromates au choix : romarin, origan, cardamome et anis étoilé

Sel et poivre du moulin

Préchauffer le four à 220 °C (425 °F).

Dans une lèchefrite, chauffer la moitié du beurre et de l'huile. Y mettre les jarrets, déposer au four et les faire dorer environ 10 minutes. Réserver les jarrets.

Réduire la température du four à 150 °C (300 °F).

Déglacer la lèchefrite au vin blanc. Ajouter les 12 gousses d'ail en chemise (2 ou 3 gousses par jarret). Remettre les jarrets dans la lèchefrite et cuire au four de 2 h 30 à 3 heures.

Dans la dernière heure de cuisson des jarrets, préparer les légumes et les faire sauter dans une casserole dans le reste du mélange beurre et huile. Ajouter la gousse d'ail et l'échalote émincées. Laisser dorer et réserver au chaud.

Retirer les jarrets de la lèchefrite et réserver au chaud. Mouiller avec le fond d'agneau ou de volaille, déglacer et incorporer les aromates. Saler et poivrer. Faire réduire la sauce à 60 ml (1/4 t.) par personne.

Dresser les assiettes en disposant les légumes au fond. Napper de sauce. Déposer le jarret par-dessus.

Ragoût de collier d'agneau

POUR 4 PERSONNES | TEMPS DE PRÉPARATION : 10 MINUTES | TEMPS DE CUISSON : 1 H 45

Voir les notes sur la technique de cuisson à chaleur humide par mijotage, en page 24. Il faut conserver aux morceaux d'agneau une partie de leur gras et leurs membranes conjonctives qui fonderont littéralement en cours de cuisson pour donner du moelleux au bouillon.

YVES VOUS CONSEILLE :

Demandez à votre boucher de couper le collier en tranches régulières plutôt qu'en morceaux pour que la présentation en soit plus belle et encore plus appétissante.

1,5 kg (3 lb) de collier d'agneau, en morceaux ou en tranches

15 g (1 c. à s.) de beurre

15 ml (1 c. à s.) d'huile d'olive

60 ml (¼ t.) de vin blanc

750 ml (3 t.) de bouillon d'agneau ou de volaille chaud

450 g (1 lb) de pommes de terre, tranchées mince

3 oignons, émincés

1 brin de thym

1 feuille de laurier

Sel et poivre du moulin

30 g (2 c. à s.) de beurre

1 vingtaine d'olives noires, dénoyautées

1 bouquet de persil, ciselé

Préchauffer le four à 170 °C (325 °F).

Dans une cocotte, chauffer le beurre et l'huile. Faire sauter la viande à feu vif et réserver. Ajouter les oignons et cuire une minute.

Déglacer au vin blanc en raclant le fond de la cocotte avec une cuillère en bois. Remettre la viande. Mouiller avec le bouillon chaud. Assaisonner de thym et de laurier. Couvrir et enfourner.

Durant les 45 dernières minutes de cuisson, retirer le couvercle. Ajouter les tranches de pommes de terre en les disposant en rosace. Saler et poivrer. Ajouter le reste de beurre et les olives noires.

Augmenter la température du four à 230 °C (450 °F) pendant les 15 dernières minutes pour bien dorer.

Parsemer de persil avant de servir.

Épigrammes d'agneau

La technique proposée ici est celle de la cuisson par braisage à sec, expliquée en détail à la page 24. Le braisage favorise la tendreté, mais il est aussi possible de réaliser cette cuisson sur le barbecue à chaleur modérée, idéalement par cuisson indirecte, après avoir réalisé un premier brunissement rapide à feu vif sur chaque face. L'inconvénient du barbecue est de ne pas permettre de préparer une sauce avec le jus de cuisson, mais il confère au moins le goût des grillades à l'épigramme.

YVES VOUS CONSEILLE :

L'épigramme est tiré de la poitrine qu'on appelle aussi travers d'agneau (ou spare ribs). Réservez-le chez votre boucher, vous serez séduit.

2 épigrammes d'agneau

2 gousses d'ail, émincées

1 échalote, émincée

50 g (4 c. à s.) de menthe, ciselée

50 g (4 c. à s.) de persil, ciselé

50 g (4 c. à s.) d'origan, ciselé

15 g (1 c. à s.) de beurre

15 ml (1 c. à s.) d'huile d'olive

30 ml (2 c. à s.) de vinaigre balsamique

Sel et poivre du moulin

Dans une lèchefrite, mélanger la moitié des épices et déposer les épigrammes à mariner dans ce mélange pendant 30 minutes. Retirer et éponger la viande.

Préchauffer le four à 190 °C (375 °F).

Dans une grande poêle, chauffer le beurre et l'huile. Faire dorer les épigrammes de 2 à 3 minutes de chaque côté.

Replacer les épigrammes dans la lèchefrite. Enfourner et cuire 25 minutes.

Retirer les épigrammes et réserver au chaud. Déglacer la poêle avec le vinaigre balsamique.

Parsemer le reste des épices sur les épigrammes et servir avec un taboulé arrosé du jus de cuisson.

Longes d'agneau

2 longes d'agneau, désossées
de 225 à 300 g (1/2 à 2/3 lb) chacune

15 ml (1 c. à s.) d'huile

15 g (1 c. à s.) de beurre

1 gousse d'ail, épluchée

80 ml (1/3 t.) de vin rouge

250 ml (1 t.) de fond d'agneau

1 branche de romarin

Quelques graines de coriandre

Feuilles de menthe, ciselées

*La longe est une pièce maigre
qu'on saisit à feu vif, rapidement
et qu'on laisse reposer au four
porte entr'ouverte 5 à 6 minutes
avant de servir. Elle sera tendre si
consommée de saignant à rosé.*

Frotter d'ail les longes d'agneau.

Préchauffer le four à 205 °C (400 °F)

Dans une poêle, chauffer le beurre et l'huile. Colorer les
longes de 3 à 4 minutes.

Déposer dans un plat allant au four. Cuire de 8 à 10 minutes.

Entre-temps, déglacer la poêle au vin rouge. Ajouter le fond
d'agneau, la branche de romarin, les graines de coriandre
et les feuilles de menthe ciselées.

Laisser réduire de manière à obtenir 60 ml (1/4 t.) de sauce
par personne.

YVES VOUS CONSEILLE :

*Dans certaines boucheries, on
trouve aussi du filet mignon
d'agneau, très tendre et délicat.
On se contente de le faire sauter
à la poêle de 2 à 3 minutes.*

Carré découvert en crapaudine

POUR 4 PERSONNES | TEMPS DE PRÉPARATION : 10 MINUTES | TEMPS DE MARINADE : 30 MINUTES | TEMPS DE CUISSON : 30 MINUTES

Les côtes découvertes ont une chair un peu plus grasse que les côtes premières et qui s'étire en bande fine le long du manche. Le rôtissage est de mise pour cette pièce. On peut le réaliser au four comme au barbecue et, dans ce dernier cas, on le cuit à chaleur indirecte, couvercle fermé, après l'avoir saisi brièvement à feu vif.

YVES VOUS CONSEILLE :

Le carré découvert est la pièce qui comprend les quatre premières côtes après le collier.

Il est savoureux et moelleux et pour ceux qui ne le connaissent pas, il constitue une belle surprise. Il faut éviter de le cuire à une température trop élevée, car la chapelure pourrait brûler et donner un goût amer.

1 carré découvert de 4 côtes

15 ml (1 c. à s.) d'huile d'olive

30 g (2 c. à s.) de beurre

2 gousses d'ail

1 échalote, hachée

100 g (⅓ t.) de chapelure

5 g (1 c. à t.) d'herbes de Provence

Sel et poivre du moulin

Préchauffer le four à 190 °C (375 °F).

Frotter d'ail le carré de côtes.

Mélanger la chapelure avec 15 g (1 c. à s.) de beurre, 1 gousse d'ail émincée, l'échalote et les herbes de Provence.

Dans une poêle, chauffer le reste de beurre et l'huile. Faire dorer le carré 2 minutes à feu vif.

Le placer dans un plat à gratin. Étaler la préparation de chapelure sur le carré en pressant bien pour la faire adhérer. Enfourner et cuire 25 minutes. Éteindre le four et laisser le carré reposer 5 minutes dans le four, porte entr'ouverte.

Servir avec un croquant de piments rouges et courgettes, coupés en gros cubes et sautés rapidement à la poêle.

Fond d'agneau

TEMPS DE PRÉPARATION : 20 MINUTES | TEMPS DE CUISSON : 2 HEURES

5 kg (11 lb) d'os d'agneau, dont 2 kg (4½ lb) d'os de poitrine d'agneau

30 ml (2 c. à s.) d'huile d'olive

3 carottes

2 oignons

3 gousses d'ail

1 poireau

2 branches de céleri

2 échalotes

150 g (½ t.) de pâte de tomates

1 bouquet garni (persil, thym, laurier) ficelé dans une étamine

12 grains de poivre

12 grains de coriandre

1 brin de romarin

1/2 l (2 t.) de vin blanc

3 l (12 t.) de fond de veau ou de volaille

2 l (8 t.) d'eau

6 g (1 c. à t.) de sel

Faire griller les os d'agneau au four à 220 °C (425 °F) de 10 à 15 minutes. Au bout de 10 minutes, ajouter les légumes coupés grossièrement et les faire colorer au four 5 minutes.

Mettre les os et les légumes dans un faitout. Couvrir de liquide, composé de deux parts d'eau pour une part de vin et d'un peu de fond, si vous en avez.

Cuire 2 heures à petit feu. Saler. Écumer et dégraisser à la louche au cours de la cuisson.

Filtrer. Laisser décanter au frais. Retirer la graisse qui s'est figée sur le dessus.

Pour réaliser un fond goûteux, il importe de griller suffisamment les os et les légumes au préalable et ensuite de laisser le tout réduire à lente ébullition. Ces deux étapes ne doivent pas être exécutées hâtivement, car c'est là que le liquide acquiert ses qualités aromatiques.

Vous pouvez congeler ce fond dans plusieurs contenants de capacité suffisante à pouvoir poursuivre la réduction pour obtenir une demi-glace ou une glace.

YVES VOUS CONSEILLE :

Ce fond vous permettra de faire de délicieuses sauces pour accompagner le gigot d'agneau, le filet ou l'épaule d'agneau rôtie.

le Bœuf

69

Le bœuf

Un phénomène de consommation qui mérite un peu d'histoire

Disons d'abord qu'au moins ici en Amérique, la viande de bœuf est la plus consommée de toutes et qu'encore aujourd'hui, il se prépare et se consomme pas moins de 75 millions de portions de bœuf par jour sur l'ensemble du continent. Ce ne fut pas toujours le cas. Cet engouement qui s'adressa d'abord à une élite et qui finit par rejoindre la grande masse des consommateurs remonte aux années de guerre civile aux États-Unis et au développement du chemin de fer. Bien sûr, de considérables troupeaux de Longhorns arpentaient déjà les grandes plaines du Nouveau-Mexique et du Texas à l'époque des premiers colons et de la grande migration vers l'ouest. Ces hordes errantes, à demi domestiquées, souvent laissées à elles-mêmes et au mieux, lâchement gardées et suivies par leurs cowboys mexicains ou texans, se mirent à progresser en nombre jusqu'à atteindre les 50 millions de têtes vers la fin de la guerre de Sécession et c'est grâce au développement du chemin de fer, stimulé par la guerre, qu'une solution fut trouvée pour amener ce bétail sur les marchés plus densément peuplés de l'est du continent. Le reste n'est qu'affaire d'organisation, de sélection de races et de perfectionnement des méthodes d'élevage, d'abattage et de conservation des immenses quantités de viande qui devinrent disponibles aisément sur l'ensemble des marchés de l'Amérique vers la fin du 19e siècle. Au tournant du siècle, les immigrants qui débarquaient en masse sur la côte est avaient pour la première fois de leur existence la possibilité de se nourrir de viande à bon prix et sur une base régulière et le fait de s'offrir un bon steak devint un symbole de bonne vie pour toute une génération de rudes travailleurs. Et que dire du hamburger qui figure aujourd'hui comme l'un des grands symboles du *American Way of Life* et qui a conquis la planète!

Comment déterminer la qualité d'une pièce de bœuf

Les Longhorns du temps jadis, habitués aux longues migrations et à se tirer d'affaire dans les pires conditions climatiques, n'étaient pas génétiquement les meilleures bêtes pour fournir la viande de consommation. Il a fallu importer, notamment des Anglais, des races destinées dans un premier temps au travail de la ferme et à la production laitière, ainsi qu'à la consommation en fin de vie, comme les Durhams, les English Shorthorns et les Holstein et ce, jusqu'à ce que ces mêmes Anglais, grands amateurs et experts en viande de bœuf, se mettent à importer des races essentiellement destinées à la boucherie comme les Scottish Black Angus et les English Herefords qui améliorèrent grandement le cheptel américain.

La race, la provenance, le type d'élevage, l'alimentation, sont, ici comme pour tous les autres animaux, les grands critères qui permettent d'avoir une bonne idée de la qualité que nous sommes en droit d'obtenir. La viande de bœuf doit à l'énorme consommation qu'on en fait en Amérique la particularité de devoir

subir divers contrôles afin d'assurer la parfaite salubrité des viandes sélectionnées pour la consommation et un classement rigoureux qui vise à déterminer le niveau de tendreté probable à partir de certains critères. Deux de ces critères sont le persillage et le marbrage qui concernent la présence de matière grasse dans et autour des muscles de l'animal et dont nous avons parlé en introduction à cet ouvrage.

Même après s'être assuré que la pièce de viande que nous convoitons réponde à tous les niveaux de sélection qui nous promettent la qualité et en supposant qu'on ait donné à la carcasse une période de vieillissement suffisante à son bon mûrissement, sommes-nous totalement assurés d'obtenir en fin de parcours un plat totalement savoureux? La réponse est oui dans la mesure où on aura choisi la découpe adéquate pour le type de cuisson auquel on la destine. Ce qui nous amène à discuter des coupes de viande.

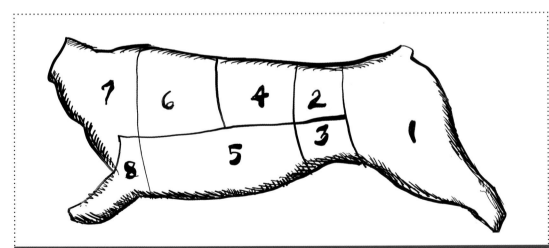

1. ronde (intérieur et extérieur) et jarret 2. surlonge 3. bavette et aiguillette
4. aloyau, contrefilet et filet 5. flanchet, plat de côtes, poitrine
6. basses côtes et entrecôte 7. palette et collier 8. jarret

Coupes de viande et modes de cuisson

Pour un bovin, et il en va de même à peu de choses près pour tous les quadrupèdes, il y a d'abord la partie avant, l'épaule, comprenant aussi le cou de la bête juste au-dessus des pattes. Les pièces que l'on y retrouve sont le collier, la palette, la macreusel (paleron) et les côtes croisées (le jumeau, la griffe, les basses côtes, en coupes française). La masse musculaire dans cette région est principalement composée de muscles qui auront servi à propulser la bête. Comme ces muscles ont été régulièrement sollicités, les fibres qui les composent sont davantage développées et plus compactes dans le muscle. La viande s'en trouve donc moins tendre, bien que très savoureuse. Ici les cuissons lentes et prolongées sont de mises pour permettre l'attendrissement des fibres qu'amène la fonte des gras et des tissus conjonctifs et l'expression des saveurs apportée par le mode de cuisson.

Puis il y a la région des côtes, localisée dans la moitié supérieure avant du dos de l'animal et se terminant au milieu de ce dernier juste avant la croupe. C'est dans cette région que se retrouvent certaines des pièces les plus nobles, mais aussi les plus coûteuses en boucherie. D'une tendreté supérieure certes, bien qu'au dire de certains, moins goûteuses, on retrouve dans cette section de l'animal l'entrecôte, le filet et le contrefilet.

Il y a ensuite la région de la poitrine, située dans la moitié inférieure avant de l'animal. Les muscles y sont moins volumineux, plus fibreux et striés et d'une tendreté allant de moyenne à supérieure puisqu'ils ont à jouer un rôle sustentateur plutôt que moteur. On en tire des pièces comme le brisket, le plat de côtes, qui se cuisent en pot-au-feu. Plus bas on trouve l'onglet et la hampe, très appréciés des gastronomes et franchement savoureux lorsque saisis rapidement à la poêle.

Juste après les côtes vient ensuite la longe qui termine le dos juste au-dessus des pattes arrière et d'où l'on tire notamment certains des steaks et rôtis les plus célébrés par les amateurs. La masse musculaire contenue dans le dos de l'animal est moins sollicitée dans ses déplacements et s'en trouve donc plus tendre. Les pièces provenant de cette région seront de qualité supérieure et sont incluses dans l'offre haut de gamme de votre boucher. Entre la longe et la croupe se trouve la surlonge, une masse musculaire comprenant des parties tendres et moyennement tendres d'où l'on tire cependant d'excellents rôtis.

Pour les pièces issues des côtes et de la longe, comme pour les pièces provenant de la surlonge et que vous ne destinez pas aux rôtis, c'est l'intensité et la rapidité qui comptent en cuisson, car ces pièces supporteront mal d'être cuites longuement, ce qui les dessècherait irrémédiablement. Rapidité donc, en saisissant la viande à feu vif, mais rapidité également en ne prolongeant pas la cuisson plus que nécessaire. Les saisies rapides à la poêle et les grillades sont de mises pour ces pièces qui satisferont ceux qui aiment manger leur viande encore saignante et jusqu'à la cuisson médium. Pour ceux qui préfèrent les cuissons dites bien cuites, il existe une façon de minimiser le dessèchement qui risque de se produire en prolongeant la cuisson. Ceux qui n'apprécient pas de voir du sang perler de la viande en la taillant peuvent cuire la viande jusqu'à médium, puis la retirer du feu et la couvrir et lui donner un temps de repos dans un espace tiède. La chaleur

Températures de cuisson

Si on utilise un thermomètre, une cuisson saignante est atteinte à 52 °C (125 °F) de température interne; une cuisson à point se situe à 60 °C (140 °F) et on arrive au bien cuit à 71 °C (160 °F). On constatera donc que la différence de température entre la cuisson saignante et la cuisson à point est à peine de 8 degrés en Celsius ou de 15 degrés en Fahrenheit. Il est essentiel d'atteindre 71 °C (160 °F) pour la cuisson du bœuf haché.

accumulée dans la viande poursuivra la cuisson sans provoquer de dessèchement aussi sévère que le fait de continuer à la cuire sur feu vif.

De la croupe qui est constituée de muscles localisés dans le haut des cuisses de l'animal, on tire notamment la ronde (gîte à la noix en coupe française). Certains des muscles de cet ensemble sont d'assez grand volume. Ils servent en partie à propulser la bête, supporter sa masse et maintenir son équilibre; ils sont par conséquent régulièrement sollicités et moins persillés de gras. Leur structure fibreuse est plus ferme et l'on constate une bonne présence de tissus conjonctifs entre les grands plans musculaires. Les muscles localisés dans cette région servent traditionnellement aux rôtis. Plus bas dans la cuisse, on trouve des pièces moins tendres, relativement maigres, mais cependant fort goûteuses qui seront destinées à des cuissons plus longues, à feu doux, comme les braisés et les mijotés.

Nous venons de situer les quatre grands ensembles musculaires du bœuf. Notons que

certaines parties substantielles de l'animal n'ont pas encore été citées dans notre description. Il s'agit essentiellement des flancs et des pattes.

Des flancs nous tirons meilleur profit aujourd'hui, grâce en bonne partie à l'immigration européenne et à nos amis français qui leur réservaient un usage plus noble qu'en Amérique et nous ont appris à les apprécier. Mis à part les pièces tirées de la poitrine et des flancs mieux connus ici, mais en général peu considéré comme pièce de consommation sans avoir au préalable subit une assez considérable préparation (briskets et viandes fumées), l'onglet, la bavette, le flanchet que nous apprécions tant aujourd'hui dans nos bistrots servaient avant tout à la fabrication des viandes hachées que l'Amérique consomme en quantités nettement plus considérables qu'en Europe. Il en va de même des jarrets qui n'étaient pas très prisés il n'y a pas si longtemps, et qui figurent désormais dans la liste des préparations appréciées et considérées comme fort goûteuses.

Entrecôte à la bordelaise

POUR 4 PERSONNES | TEMPS DE PRÉPARATION : 10 MINUTES | TEMPS DE CUISSON : 8 MINUTES

Les steaks se grillent également au barbecue. Attendre que la croûte aromatique se détache presque d'elle-même avant de retourner la pièce pour compléter la cuisson.

YVES VOUS CONSEILLE :

Au Québec, l'entrecôte s'appelle le rib, une coupe avec os. En Europe, ce morceau est généralement désossé. Demandez à votre boucher des steaks d'entrecôte vieillis de 21 à 28 jours. Ils seront à leur meilleur. On peut faire la même recette avec du contre-filet. Les os à moelle sont rares, réservez-les auprès de votre boucher.

4 steaks d'entrecôte de 2,5 cm (1 po) d'épaisseur

2 noisettes de beurre

2 ou 3 échalotes, émincées

250 ml (1 t.) de vin rouge

Thym, origan, basilic

250 ml (1 t.) d'eau

30 g (2 c. à s.) de beurre

30 g (2 c. à s.) de farine

1 bouquet de persil plat, ciselé

Sel et poivre du moulin

Dans une petite casserole, chauffer une noisette de beurre. Faire fondre les échalotes à feu doux. Ajouter la moitié du vin rouge, le thym, l'origan et le basilic. Laisser réduire d'un quart. Ajouter le reste de vin et l'eau. Assaisonner. Porter à ébullition.

Faire un beurre manié en amalgamant 30 g (2 c. à s.) de beurre ramolli et 30 g (2 c. à s.) de farine. Ajouter le beurre manié à la sauce. Laisser réduire à une tasse en remuant pour éviter les grumeaux.

Filtrer et garder la sauce au chaud au bain-marie. Rajouter de l'eau si la réduction est trop épaisse.

Dans une poêle, chauffer la deuxième noisette de beurre. Cuire les steaks d'entrecôte 6 minutes d'un côté et 2 minutes de l'autre.

Servir avec la sauce. Parsemer de persil ciselé.

VARIANTE:
Ajouter une tranche de moelle pochée 3 minutes dans l'eau bouillante sur chaque steak. Napper de sauce.

Daube de bœuf à ma façon

La viande doit être coupée en gros cubes réguliers, d'égale grosseur, pour que la cuisson soit uniforme. Le brunissement est une étape essentielle pour faire ressortir toute la saveur de ce plat. Voir la technique expliquée en page 23.

YVES VOUS CONSEILLE :

La couenne de porc doit être taillée en assez gros morceaux de manière à pouvoir l'enlever facilement à la fin de la cuisson, au moment de servir. Vous pouvez aussi utiliser de la palette de bœuf (paleron ou macreuse) dont la teneur en gras ne nécessite plus l'ajout de la couenne de porc.

POUR LA MARINADE

1,5 kg (3 1/4 lb) de rond de gîte ou de culotte de bœuf (œil ou cœur de ronde), coupé en cubes de 5 cm (2 po) de côté

1 petit oignon

750 ml (1 bouteille) de vin rouge

3 ou 4 clous de girofle

30 ml (2 c. à s.) d'huile d'olive

4 ou 5 gousses d'ail, écrasées

1 bouquet garni

5 grains de poivre noir

225 g (1/2 lb) de lard frais, coupé en petits lardons

60 g (4 c. à s.) de beurre

2 gros oignons, coupés en rondelles

4 grosses carottes, coupées en rondelles

1 morceau de couenne de porc

250 g (1/2 lb) de champignons

Sel et poivre du moulin

La veille, tailler les cubes et placer la viande dans un saladier avec l'oignon piqué de clous de girofle, l'huile, le bouquet garni, l'ail et les grains de poivre. Verser le vin rouge sur la viande. Couvrir le saladier d'une pellicule plastique et laisser mariner 12 heures au frais en prenant soin de remuer le mélange et de retourner la viande de temps en temps.

Le jour même, égoutter la viande. Réserver la marinade.

Dans une cocotte, faire dorer les lardons. Réserver. Faire fondre 3 c. à s. de beurre dans la cocotte et faire dorer la viande de 3 à 5 minutes à feu vif. Retirer la viande et ajouter les oignons, les carottes et la couenne de porc dans la cocotte. Faire revenir de 3 à 5 minutes. Remettre la viande et les lardons dans la cocotte. Mouiller avec la marinade et laisser mijoter 2 h 30.

Dans une poêle, faire fondre 1 c. à s. de beurre et faire sauter les champignons 10 minutes.

Ajouter les champignons à la daube 15 minutes avant la fin de la cuisson.

Steak de flanc

POUR 4 PERSONNES | TEMPS DE PRÉPARATION : 10 MINUTES | TEMPS DE MARINADE : 12 HEURES | TEMPS DE CUISSON : 20 MINUTES

1 steak de flanc de 800 g (environ 2 lb) et de 2 cm (3/4 po) d'épaisseur

POUR LA MARINADE

1 petit oignon, émincé

2 gousses d'ail

2 échalotes

60 ml (1/4 t.) d'huile

60 ml (1/4 t.) de vin blanc

5 g (1/2 c. à s.) d'épices à steak

5 g (1/2 c. à s.) de fines herbes ciselées (persil, basilic)

Sel et poivre du moulin

Ne pas saler la marinade.

Dans une casserole, faire bouillir les ingrédients de la marinade pendant 10 minutes.

Laisser refroidir.

Déposer la viande dans la casserole. Couvrir d'une pellicule plastique et laisser mariner au réfrigérateur pendant 12 heures.

Placer sur un barbecue très chaud. Cuire 6 ou 7 minutes d'un côté. Vérifier que ce côté présente des marques de grillade bien visibles. Retourner la viande et faire cuire 1 minute de l'autre côté.

Saler et poivrer.

VARIANTE :

Pratiquer une incision dans l'épaisseur du steak de flanc pour faire une poche.

Farcir la pièce de viande de légumes coupés en dés et sautés au beurre (pommes de terre, carottes, céleri, ail, échalote et fines herbes). Maintenir fermé avec des cure-dents. Colorer légèrement la viande à la poêle ou sur la grille du barbecue. Poser la viande sur une feuille de papier aluminium. Arroser d'un trait de vin blanc, d'un filet d'huile. Saupoudrer d'épices. Refermer le papier aluminium. Faire cuire de 15 à 20 minutes au four préchauffé à 205 °C (400 °F) ou au barbecue très chaud.

Flanc ou bavette. Il s'agit de deux plans musculaires différents mais superposés. À distinguer de l'onglet qu'on appelle aussi petit filet situé sous le faux-filet. Ce sont tous des muscles à fibres longues qui se mangent de préférence saignant ou médium-saignant tout au plus. Les cuire davantage leur retire de la saveur et leur texture se durcit rapidement.

La cuisson en papillote confère une belle tendreté à cette pièce de viande. Il faut cependant veiller à ne pas exagérer sur la quantité de vin dans la préparation et créer ainsi une étuve qui fera bouillir la viande dans son enveloppe.

YVES VOUS CONSEILLE :

En été, réservez le steak de flanc chez votre boucher, car ce sont des pièces de viande qui se font bien au barbecue et qui s'envolent comme des petits pains dès qu'arrivent les beaux jours.

Os à moelle

Si vous notez que la moelle présente des traces de sang, vous pouvez faire tremper les os une demi-heure dans une eau légèrement vinaigrée, puis les éponger avec du papier absorbant avant de cuire.

2 os à moelle

Gros sel

Déposer les os à moelle sur une lèchefrite.

Saupoudrer de gros sel.

Cuire 25 minutes à 150 °C (300 °F).

Bœuf miroton

Il est question ici de restes de viandes déjà cuites. Cette recette se réalise aussi avec des cubes de viandes crues. Il faut alors procéder à un bon brunissement des cubes et leur donner une cuisson d'au moins 2 heures à couvert dans un bouillon tout juste frémissant qui les recouvre à peine. On procède ensuite selon la recette ci-contre.

YVES VOUS CONSEILLE :

Cette délicieuse recette permet d'accommoder des restes de rôti de bœuf, de pot-au-feu, de rôti de palette. Pour varier, on peut ajouter une tomate coupée en quartiers que l'on fait revenir avec les oignons. On déglace ensuite la poêle avec du vinaigre de vin et l'on garnit la préparation de cornichons et de persil hachés.

450 g (1 lb) environ de viande de desserte, coupée en cubes

45 g (3 c. à s.) de beurre

100 g (¼ lb) de lardons, blanchis (facultatif)

1 gros oignon, coupé en quartiers

250 ml (1 t.) de fond de veau

45 g (3 c. à s.) de Maïzena (fécule de maïs)

1 brin de thym

2 feuilles de laurier

60 g (4 c. à s.) de persil plat, haché

Dans une grande poêle profonde, faire fondre le beurre. Ajouter les lardons et faire dorer.

Ajouter l'oignon et faire rissoler à feu moyen 5 minutes.

Dans un bol, mélanger la fécule de maïs et le fond de veau. Ajouter le mélange dans la poêle. Ajouter le thym, le laurier et le persil. Ajouter les cubes de viande et laisser cuire 20 minutes.

Servir avec des pommes de terre grelots cuites à la vapeur.

Bœuf bourguignon

Vous pouvez tailler vos cubes dans la palette de bœuf. Cette pièce est suffisamment marbrée de gras pour éviter un dessèchement excessif de la viande. On la cuit dans son bouillon, à petite ébullition. Consultez les notes de la page 24 pour plus de précision sur cette méthode de cuisson.

YVES VOUS CONSEILLE :

À la place des lardons fumés, on peut prendre une tranche de poitrine de porc que l'on aura fait blanchir, coupée en cubes et fait dorer.

Pour la viande, choisissez du rôti de palette désossé ou du paleron, ou du jarret pour leur apport en gélatine. Il est bien important de découper des cubes réguliers d'égale grosseur pour obtenir une cuisson uniforme.

Vous pourriez choisir de conserver cette préparation dans des pots que vous aurez stérilisés au préalable.

POUR LA MARINADE

1 kg à 1,2 kg (2 à 3 lb) de bœuf, coupé en cubes

2 gros oignons, coupés en quatre

2 carottes, coupées en rondelles

1 filet d'huile d'olive

2 clous de girofle

1 brin de thym

1 feuille de laurier

1 pincée de sucre

750 ml (3 t.) de vin rouge

30 g (2 c. à s.) de beurre

30 ml (2 c. à s.) d'huile d'olive

225 g (½ lb) de lardons fumés

20 petits oignons blancs

15 g (1 c. à s.) de sucre

30 ml (2 c. à s.) de cognac

225 g (½ lb) de champignons

15 g (1 c. à s.) de farine

Sel et poivre du moulin

Dans un grand bol, déposer les cubes de bœuf avec tous les ingrédients de la marinade. Recouvrir d'une pellicule plastique et laisser reposer au réfrigérateur pendant 12 heures.

Retirer la viande et les légumes. Égoutter. Réserver la marinade.

Faire blanchir les petits oignons 5 minutes à l'eau bouillante. Égoutter et réserver.

Dans une grande poêle, chauffer la moitié du beurre et de l'huile. Faire dorer la viande. Retirer et réserver.

Dans la poêle, faire revenir les lardons. Réserver. Faire dorer les petits oignons avec le sucre. Réserver. Faire dorer les légumes de la marinade. Réserver.

Déglacer la poêle au cognac.

Dans une cocotte, placer les cubes de viande et les saupoudrer de farine. Laisser brunir. Ajouter la marinade petit à petit en remuant pour éviter les grumeaux. Ajouter le déglaçage de la poêle, les lardons et les légumes de la marinade. Laisser mijoter doucement 2 heures.

Dans une poêle, chauffer le reste du beurre et de l'huile. Faire sauter les champignons. Les égoutter. Ajouter les petits oignons et les champignons dans la cocotte. Poursuivre la cuisson 10 minutes.

Pour vérifier la cuisson, piquer la viande avec le bout d'une brochette. Si la brochette s'insère aisément, le bourguignon est prêt.

Parsemer de persil ciselé. Servir avec des pâtes aux œufs ou une purée de pommes de terre bien poivrée.

Rôti de palette

YVES VOUS CONSEILLE :

Si vous n'avez pas de sachet de soupe à l'oignon, faites roussir 4 gros oignons coupés en lamelles et mouillez avec un bouillon de bœuf.

Demandez toujours un haut de palette, car il est plus tendre. Faites-le dégraisser si nécessaire.

Ce plat est économique et délicieux. Il est idéal pour rassasier et régaler une famille nombreuse.

1 tranche de palette d'environ 5 cm (2 po) d'épaisseur

1 sachet de soupe à l'oignon lyophilisée

1/2 l (2 t.) d'eau

4 carottes, coupées en morceaux

4 navets, coupés en morceaux

4 panais, coupés en morceaux

4 poireaux, coupés en morceaux

15 g (1 c. à s.) de pâte de tomates

4 cornichons, hachés

1 bouquet de persil, ciselé

Placer la palette dans une cocotte assez grande pour accueillir tous les légumes.

Délayer le sachet de soupe dans l'eau et verser sur la palette juste à hauteur de la viande.

Ajouter les légumes. Porter à ébullition.

Cuire au four à 120 °C (250 °F) pendant 4 heures.

Dix minutes avant la fin de la cuisson, ajouter la pâte de tomates et les cornichons hachés.

Parsemer de persil.

Bœuf braisé

POUR 4 PERSONNES | TEMPS DE PRÉPARATION : 15 MINUTES | TEMPS DE MARINADE : 6 HEURES | TEMPS DE CUISSON : 2 HEURES

Un bon brunissement fera ici toute la différence. Voir la technique expliquée en page 23.

Si la pièce choisie se présente sans gras apparent, sans tissus conjonctifs, sans cartilage et sans os, il faut compenser cette absence en ajoutant un pied de veau au fond de cuisson et cuire à feu très doux.

YVES VOUS CONSEILLE :

Pour faire ce plat, on a le choix entre trois parties de la bête et différentes pièces de viande.

Dans l'épaule de bœuf, on demandera à son boucher un morceau de paleron (macreuse) ou de basse côte.

Dans le haut côté, on choisira un morceau de rôti de palette désossé.

Dans la fesse, on prendra de la ronde qui est cependant un peu plus sèche que les autres morceaux.

1,2 kg (1½ lb) de bœuf à braiser (ronde ou paleron (macreuse))

15 g (1 c. à s.) de beurre

15 ml (1 c. à s.) d'huile d'olive

3 carottes, coupées en rondelles

2 oignons, coupés en quartiers

375 ml (1½ t.) de vin rouge

1 filet d'huile d'olive

1 brin de thym

1 feuille de laurier

½ pied de veau ou de la couenne de porc

125 ml (½ t.) de fond de veau ou de bœuf

125 ml (½ t.) d'eau

Sel et poivre du moulin

8 g (½ c. à s.) de fécule de pommes de terre, de maïs ou d'arrow-root

Dans une poêle, chauffer le beurre et l'huile et faire revenir les carottes et les oignons.

Dans un grand bol, déposer le bœuf avec le vin rouge, les légumes sautés et le filet d'huile. Couvrir d'une pellicule plastique et laisser mariner au réfrigérateur pendant 6 heures.

Retirer la viande, l'égoutter et l'essuyer. Réserver les légumes.

Dans une casserole, sur feu vif, faire réduire la marinade de moitié.

Préchauffer le four à 175 °C (350 °F).

Dans une cocotte, dorer la viande sur toutes ses faces. Ajouter les légumes, le pied de veau, le thym, le laurier et la marinade réduite. Saler et poivrer. Couvrir la cocotte et cuire pendant 2 heures.

Vérifier la cuisson en piquant la viande avec le bout d'une brochette de métal. Si le jus qui s'écoule est clair, la viande est cuite.

Filtrer le jus de cuisson et le lier sur feu doux avec de la fécule de pomme de terre, de maïs ou de l'arrow-root en remuant pour éviter les grumeaux.

Servir avec une purée de carottes et de pommes de terre.

Alouettes sans tête

POUR 4 PERSONNES | TEMPS DE PRÉPARATION : 20 MINUTES | TEMPS DE CUISSON : 1 H 30

8 escalopes de bœuf

225 g (1/2 lb) de lard salé, coupé en petits dés

3 gousses d'ail, écrasées

1 bouquet de persil, haché fin

100 g (1 t.) de mie de pain, trempée dans l'eau

15 g (1 c. à s.) de beurre

15 ml (1 c. à s.) d'huile d'olive

60 ml (1/4 t.) de vin rouge

125 ml (1/2 t.) de fond de veau ou de bœuf

125 ml (1/2 t.) d'eau

3 carottes, coupées en petits dés

1 courgette, coupée en petits dés

1 branche de céleri, coupée en petits dés

1 oignon, coupé en petits dés

2 tomates, pelées et épépinées

Sel et poivre du moulin

Lorsque la pièce à cuire est de faible épaisseur, il faut seulement la dorer plutôt que la brunir et le faire à feu moyen-vif pour éviter de la dessécher.

YVES VOUS CONSEILLE :

Demandez des escalopes de bœuf dans la ronde, ou mieux encore dans le paleron (ou macreuse).

Garnir les escalopes d'une farce composée de lard salé, d'ail écrasé, de persil haché et de mie de pain pressée et hachée. Saler et poivrer. Replier les escalopes autour de la farce. Maintenir ces petits paquets avec un cure-dents ou en les ficelant avec de la ficelle de cuisine.

Dans une cocotte, chauffer le beurre et l'huile et dorer les alouettes sans tête. Retirer et réserver.

Déglacer au vin rouge. Ajouter le fond de bœuf ou de veau et l'eau. Ajouter les légumes coupés en petits dés et les alouettes sans tête bien dorées. Couvrir la cocotte et laisser mijoter 1 h 30 à feu doux.

Servir avec des pâtes ou avec une purée faite avec 1/3 de panais, 2/3 de pommes de terre à laquelle on ajoute 2 ou 3 gousses d'ail bouillies écrasées, un filet de citron et quelques olives, noires ou vertes dénoyautées.

VARIANTE:
En choisissant des escalopes de veau, on peut faire des paupiettes, mais dans ce cas on préparera une farce avec de la chair à saucisse, c'est-à-dire un mélange de porc et de veau haché et épicé.

Rôti de côtes de bœuf

POUR 6 PERSONNES | TEMPS DE PRÉPARATION : 1 H 10 | TEMPS DE CUISSON : 1 HEURE

Le brunissement n'est pas requis ici. Il sera remplacé par des arrosages périodiques avec le bouillon, en cours de cuisson. Voir la technique de cuisson à chaleur sèche s'appliquant aux rôtis, en page 31.

YVES VOUS CONSEILLE :

Demandez à votre boucher un rôti de côtes vieilli de 18 à 21 jours.

Demandez-lui de parer, de fractionner le bout des côtes et de ficeler le rôti pour qu'il soit plus facile à découper.

1 rôti de côtes de 1,8 kg (4 lb) environ

5 g (½ c. à s.) de poivre moulu

1 brin de thym

15 ml (1c. à s.) d'huile

Sel

Sortir la pièce de viande du réfrigérateur et laisser reposer 1 heure à température ambiante, puis la badigeonner d'huile.

Préchauffer le four à 220 °C (425 °F). Frictionner le rôti de poivre et de thym émietté.

Enfourner le rôti et le cuire de 10 à 12 minutes. Réduire la température du four à 175 °C (350 °F) et poursuivre la cuisson pendant 40 minutes. Éteindre le four. Saler le rôti au goût.

Couvrir de papier aluminium et laisser reposer dans le four, pendant 10 minutes, porte entr'ouverte.

Servir avec une salade verte ou des tomates et une variété de brocoli.

On peut aussi servir une sauce au poivre en saucière.

Pot-au-feu

POUR 4 PERSONNES | TEMPS DE PRÉPARATION : 15 MINUTES | TEMPS DE CUISSON : 2 H 40

Le pot-au-feu est un exemple typique de cuisson lente à chaleur humide qui confère tendreté et saveur à des pièces de viande jugées peu tendres au départ. Voir les explications sur cette technique en page 24.

YVES VOUS CONSEILLE :

Il est important d'avoir une variété de coupes de viande pour réussir un bon pot-au-feu.

Assurez-vous de bien écumer le bouillon pour qu'il soit clair et appétissant. Vous pouvez aussi faire un potage en ajoutant 200 g (1 t.) d'orge perlé à un litre (4 t.) de bouillon.

Cette recette se prépare bien la veille. Une fois refroidie, il est plus facile de dégraisser le bouillon.

1 morceau de plat de côtes

1 morceau de ronde (paleron ou macreuse)

1 morceau de jarret de bœuf

2 ou 3 litres (8 ou 12 t.) d'eau froide

4 grosses pommes de terre, coupées en quatre

8 carottes, coupées en biais

4 poireaux

4 navets, coupés en quatre

2 oignons, coupés en deux

1 branche de céleri ou de livèche

1 brin de thym

1 feuille de laurier

4 os à moelle (facultatif)

Sel et poivre du moulin

POUR LA SAUCE :

45 g (3 c. à s.) de beurre

45 g (3 c. à s.) de farine

500 ml (2 t.) du bouillon de cuisson du pot-au-feu

15 g (¼ c. à s.) de pâte de tomates

2 ou 3 petits cornichons au vinaigre, coupés en rondelles

1 feuille de céleri

Dans une grande casserole, placer les morceaux de viande ficelés ensemble. Couvrir d'eau froide. Porter à ébullition. Baisser le feu et laisser frémir.

Au bout de 40 minutes, écumer les impuretés qui remontent à la surface. Poursuivre la cuisson 50 minutes de plus. Ajouter les légumes (sauf les pommes de terre), le thym et le laurier. Saler et poivrer. Laisser frémir doucement 1 heure encore.

Ajouter les os à moelle (facultatif) et poursuivre la cuisson 10 minutes de plus.

Pour la sauce, faire fondre le beurre et ajouter la farine. Mélanger pour obtenir une crème onctueuse. Mouiller avec 500 ml (2 t.) de bouillon du pot-au-feu. Ajouter la pâte de tomates. Laisser cuire 20 minutes. Ajouter les cornichons.

Servir la viande entourée de ses légumes. Napper les légumes de la sauce. Décorer avec la feuille de céleri.

Pour servir le bouillon en soupière, prélever 250 ml (1 t.) de bouillon de cuisson par personne.

Laisser refroidir et dégraisser. Réchauffer le bouillon dégraissé. Ajouter quelques cubes de légumes cuits. Servir le bouillon avec des croûtons.

Contre-filet au poivre noir ou vert

POUR 4 PERSONNES | TEMPS DE PRÉPARATION : 5 MINUTES | TEMPS DE CUISSON : 10 MINUTES

4 tranches de contre-filet de 2,5 cm (1 po) d'épaisseur

12 g (1/2 c. à s.) de poivre noir ou vert en grains

1 noisette de beurre

1 filet d'huile

60 ml (1/4 t.) d'alcool (armagnac, cognac ou whisky)

180 ml (3/4 t.) de crème 35 %

5 g (1/4 c. à s.) de fines herbes ciselées (origan, basilic)

Le contre-filet sera à son meilleur si vous prenez le temps de réaliser un bon brunissement de la première face. Ne retourner qu'une fois et compléter la cuisson en retirant du feu juste avant d'obtenir le niveau de cuisson désiré. La chaleur emmagasinée dans la pièce de viande fera le reste.

Écraser le poivre grossièrement et en assaisonner les tranches de contre-filet en tapotant pour faire adhérer le poivre à la viande.

Dans une poêle, chauffer le beurre et l'huile. Quand le beurre commence à mousser, déposer les contre-filets et faire cuire 5 minutes d'un côté et 2 minutes de l'autre, à feu moyennement vif.

Enlever le surplus de gras de la poêle. Verser un peu de cognac ou d'alcool de votre choix et flamber brièvement la viande.

Conserver la viande au chaud, dans le four à 80 °C (160 °F) ou l'envelopper dans le papier aluminium.

Dans la poêle, ajouter la crème, racler le fond avec une cuillère en bois pour détacher les sucs de viande. Laisser réduire 2 minutes.

Servir aussitôt les tranches de contre-filet nappées de sauce et parsemées de fines herbes ciselées. On les accompagne classiquement de pommes de terre et de haricots verts.

YVES VOUS CONSEILLE :

Demandez à votre boucher une viande vieillie de 2 à 3 semaines, de qualité AAA ou Angus, dont la chair est plus persillée.

Demandez-lui de retirer la partie plus nerveuse à l'extrémité du contre-filet.

Si vous utilisez du poivre vert en boîte, égouttez-le avant de l'écraser.

Bavette à l'échalote

POUR 4 PERSONNES | TEMPS DE PRÉPARATION : 10 MINUTES | TEMPS DE CUISSON : 15 à 20 MINUTES

La bavette est un muscle strié aux fibres longues. Elle est très goûteuse et commande une cuisson rapide à chaleur sèche (voir p 30 et 32). Il est donc d'abord question de saisir rapidement chaque face à feu vif et de poursuivre la cuisson au four jusqu'à cuisson désirée. On peut aussi très bien la faire en grillade.

YVES VOUS CONSEILLE :

La bavette est à son meilleur cuite saignante ou médium-saignant. Une plus longue cuisson fera durcir les fibres.

Pour faire la bavette rôtie au four d'un seul morceau, il vous faut une pièce de viande taillée dans la partie épaisse de la bavette. Frottez-la d'ail. Badigeonnez-la d'un mélange d'échalotes finement émincées, d'origan, de thym, de basilic, de poivre, de fleur de sel, de cardamome écrasée et d'huile d'olive.

La bavette est parfois taillée de manière inégale. Pour uniformiser la cuisson, piquez la pièce de brochettes de bois et resserrer la viande pour lui donner une forme plus compacte.

Préchauffez le four à 205 °C (400 °F).

Faites saisir la bavette à la poêle et poursuivre la cuisson au four pendant 20 minutes.

Enlever les brochettes et découper en tranches minces.

1 morceau de bavette de 800 g (environ 2 lb), coupé en tranches individuelles

3 échalotes, tranchées finement

1 noisette de beurre

60 ml (1/4 t.) de vinaigre de vin rouge

1 bouquet de persil plat, ciselé

Préparer le confit d'échalotes : dans une poêle, chauffer le beurre et faire fondre les échalotes.

Quand elles sont transparentes, déglacer au vinaigre. Laisser réduire de moitié.

Cuire la bavette à feu vif sur le barbecue ou dans une poêle 4 minutes d'un côté et 2 minutes de l'autre. Saler et poivrer.

Servir avec le confit d'échalotes. Parsemer de persil haché.

Bavette à l'orange

POUR 4 PERSONNES | TEMPS DE PRÉPARATION : 5 MINUTES |

TEMPS DE MARINADE : 12 HEURES | TEMPS DE CUISSON : 15 MINUTES

1 morceau de bavette de 800 g (environ 2 lb)

POUR LA MARINADE :

3 pincées d'épices à steak

60 ml (1/4 t.) de sauce soja ou tamari

60 ml (1/4 t.) de xérès (ou de vinaigre de vin rouge)

250 ml (1 tasse) de jus d'orange

1 anis étoilé

Sel et poivre du moulin

Dans une casserole, amener tous les ingrédients de la marinade à ébullition et laisser refroidir. Verser la marinade dans un plat creux. Déposer la bavette. Couvrir d'une pellicule plastique et laisser mariner au réfrigérateur pendant 12 heures.

Cuire la bavette à feu vif sur le barbecue ou dans une poêle 12 minutes d'un côté et 3 minutes de l'autre.

Saler et poivrer.

Servir avec une salade de feuilles de roquette ou des pommes de terre rissolées.

Bœuf Wellington

L'étape du brunissement apporte une grande saveur à ce plat. Elle laisse dans la poêle des sucs essentiels à la préparation d'une sauce très goûteuse. Voir la technique en page 23.

YVES VOUS CONSEILLE :

Ce plat sera moins onéreux si vous demandez à votre boucher de vous couper une pièce de viande dans le cœur de ronde ou le cœur de boston. La viande sera légèrement moins tendre mais tout aussi savoureuse.

1 filet de bœuf de 1,5 kg (environ 3 lb) ficelé pour obtenir une épaisseur uniforme

60 g (¼ t.) de beurre

1 filet d'huile d'olive

12 échalotes, émincées

225 g (½ lb) de champignons blancs, émincés

60 ml (¼ t.) de vin blanc

150 g (⅓ lb) de pâté de foie de porc (ou de terrine de foie gras de canard)

600 à 700 g (environ 1½ lb) de pâte feuilletée

2 jaunes d'œufs

30 ml (2 c. à s.) de cognac

500 ml (2 t.) de fond de veau ou de bœuf

500 ml (2 t.) d'eau

30 ml (2 c. à s.) de crème 35 %

Fines herbes au choix (thym, romarin ou basilic)

Sel et poivre du moulin

Préparer une duxelles : dans une petite casserole, chauffer 30 g de beurre (2 c. à s.).

Faire fondre 6 échalotes, à feu doux, en prenant soin de ne pas les faire brûler.

Quand les échalotes sont transparentes, ajouter les champignons émincés et le vin blanc.

Faire réduire à sec. Saler et poivrer. Laisser refroidir.

Incorporer le pâté de foie ou la terrine de foie gras dans le mélange d'échalotes et de champignons.

Dans une poêle, chauffer le reste de beurre et d'huile. Faire revenir les échalotes restantes jusqu'à ce qu'elles soient transparentes. Monter le feu, déposer la viande sur les échalotes et la dorer de chaque côté. Flamber au cognac. Poser le filet de bœuf sur un papier essuie-tout et bien l'éponger. Enlever la ficelle. Conserver les sucs dans la poêle.

Préchauffer le four à 190 °C (375 °F).

Tapisser de papier sulfurisé un plat allant au four. Étaler la pâte feuilletée de manière à ce qu'elle dépasse suffisamment de chaque côté du filet pour pouvoir l'envelopper. Réserver les chutes de pâte. Poser le filet de bœuf sur la pâte. Déposer le mélange de foie et de champignons sur le filet.

Envelopper le filet avec la pâte feuilletée. Cacher la jointure avec une bande de pâte feuilletée. Décorer le dessus avec des chutes de pâte façonnées en motif de fleurs ou de feuilles. Fermer les deux extrémités en repliant la pâte. Badigeonner de jaune d'œuf. Percer trois trous sur le dessus de la pâte. Rouler trois morceaux de papier aluminium en cylindre et placer ces trois cheminées dans les trous pour permettre à la vapeur de s'échapper sans faire éclater la pâte.

Enfourner. Laisser cuire de 25 à 35 minutes, jusqu'à ce que la pâte soit dorée et croustillante.

Bien surveiller la cuisson.

D'autre part, déglacer la poêle avec le fond de veau et l'eau. Saler et poivrer. Ajouter les fines herbes. Laisser réduire de moitié. Filtrer la sauce. La mettre dans une casserole. Ajouter la crème et laisser réduire légèrement.

Servir le bœuf Wellington avec la sauce, des pommes de terre sautées et des haricots verts.

Poitrine de bœuf ou brisket

POUR 8 PERSONNES | TEMPS DE PRÉPARATION : 5 MINUTES | TEMPS DE MARINADE : DE 2 À 3 JOURS | TEMPS DE CUISSON : 3 HEURES

1 poitrine de bœuf de 2 kg ou 2,5 kg (6 lb)

60 g (4 c. à s.) de sucre blanc ou de cassonade

60 g (4 c. à s.) de gros sel de mer

1,5 g (1/2 c. à t.) de salpêtre

30 g (2 c. à s.) de piment de la Jamaïque en poudre

15 g (1 c. à s.) de poudre d'ail

15 g (1 c. à s.) de poudre d'oignon

75 g (5 c. à s.) d'épices à marinade

La poitrine de bœuf fait partie des pièces qu'il faut attendrir par une cuisson lente et prolongée, sans apport de bouillon et sous couvert dans un récipient épais allant au four. Voir la technique en page 24. Elle se consomme chaude ou tiède et il est possible de la réchauffer, idéalement à la vapeur dans une étuve.

Dans un bol, mélanger le sucre et les épices.

Frotter vigoureusement la poitrine de bœuf avec ce mélange.

Envelopper la poitrine avec ses épices dans une grande feuille de papier d'aluminium.

Placer au réfrigérateur de deux à trois jours.

Cuire au four à 150 °C (300 °F) pendant 3 heures.

Découper en tranches fines et servir avec des tranches de pain de seigle tartinées de la moutarde de son choix.

YVES VOUS CONSEILLE :

Commandez d'avance la poitrine de bœuf à votre boucher.

Si vous avez le temps de préparer les épices de la marinade, apportez-les à votre boucher et demandez-lui d'emballer la poitrine sous vide avec les épices de votre choix. Vous pourrez ainsi laisser reposer la pièce de viande bien protégée pendant le temps requis.

Jarret ou Queue de bœuf

POUR 4 PERSONNES | TEMPS DE PRÉPARATION : 30 MINUTES | TEMPS DE CUISSON : 2 H 10

La queue de bœuf comme le jarret contient une bonne quantité de cartilage et des tissus conjonctifs bourrés de collagène qui se dissolvent en composés aromatiques et en gélatine durant la cuisson. Ils apportent onctuosité et saveur à vos bouillons et potages.

YVES VOUS CONSEILLE :

S'il vous reste du bouillon, placez-y les reliquats de la coupe des légumes. Mixez et ajoutez un peu de crème pour obtenir un velouté.

2 tranches de jarret de bœuf de 2,5 cm (1 po) d'épaisseur ou 12 à 15 tronçons de queue de bœuf

2 litres (8 t.) d'eau froide (assez pour couvrir la viande et faire cuire les légumes)

1 branche de céleri

1 carotte

1 oignon

1 clou de girofle

1 brin de thym

1 feuille de laurier

POUR LA GARNITURE :

6 carottes, entières

8 pommes de terre grelots

4 courgettes, entières

6 navets, entiers

250 ml (1 t.) de vin rouge

Sel et poivre du moulin

Dans une cocotte, placer les tranches de jarret ou la queue de bœuf. Ajouter l'eau froide.

Porter à ébullition. Laisser frémir. Écumer au bout de 40 minutes.

Ajouter la carotte, le céleri, l'oignon et les aromates. Couvrir et laisser frémir 1 h 30.

Prélever environ 1 litre (4 t.) de bouillon. Le verser dans une casserole. Faire cuire les légumes entiers environ 20 minutes. Retirer et laisser refroidir.

Avec une cuillère parisienne ou un couteau d'office, creuser ou façonner des boules de légumes d'égale dimension.

Dans une petite casserole, porter le vin rouge à ébullition. Ajouter 2 louches de bouillon filtré et dégraissé. Faire réduire jusqu'à consistance sirupeuse.

Dresser les assiettes : napper le fond de l'assiette de sauce, placer la viande au centre, entourée des petites boules de légumes. Décorer de persil.

À la place des légumes pochés dans le bouillon, on peut accompagner ce plat d'une purée de pommes de terre et de carottes façonnée en quenelles.

Rôti du roi

L'étape du brunissement est expliquée en détail à la page 23. Elle vous garantit un rôti savoureux. Le temps de repos en fin de cuisson redonnera du moelleux à cette pièce de viande.

YVES VOUS CONSEILLE :

Choisissez un rôti de surlonge dans la partie appelée boston (rumsteck) ou un cœur de ronde. Faites entourer la viande de gras de bœuf que vous retirerez au moment de trancher.

1 rôti de bœuf de 1,2 kg (2½ lb)

15 g (1 c. à s.) de beurre

15 ml (1 c. à s.) d'huile d'olive

2 échalotes, émincées

1 gousse d'ail, émincée

125 ml (½ t.) de vin blanc

125 ml (½ t.) de fond de veau ou de bœuf

125 ml (½ t.) d'eau

30 ml (2 c. à s.) de crème 35 %

Sel et poivre du moulin

Préchauffer le four à 205 °C (400 °F).

Dans une poêle, chauffer le beurre et l'huile et faire dorer le rôti sur toutes ses faces à feu vif. Le déposer dans un plat allant au four et faire cuire de 25 à 35 minutes. Laisser reposer 10 minutes dans le four éteint, porte entr'ouverte.

Commencer à préparer la sauce vingt minutes avant la fin de la cuisson du rôti. Dans une poêle, faire revenir les échalotes et l'ail. Mouiller au vin blanc. Ajouter le fond de veau et l'eau. Laisser réduire de moitié

Filtrer la sauce et ajouter la crème. Saler et poivrer.

Servir avec des pommes de terre frites ou de la salade.

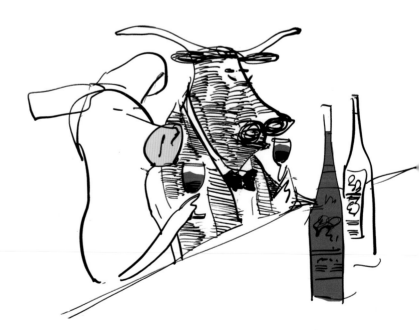

Brochettes de bœuf

POUR 6 PERSONNES | TEMPS DE PRÉPARATION : 10 MINUTES | TEMPS DE CUISSON : 15 MINUTES

1,2 kg (2½ lb) de viande de bœuf, coupée en cubes de 2,5 cm (1 po) d'épaisseur

45 ml (3 c. à s.) d'huile d'olive

1 gousse d'ail, épluchée

6 tomates fermes, en quartiers

3 poivrons, taillés en carrés

3 oignons, en quartiers

30 g (2 c. à s.) d'herbes (origan, sauge, persil, basilic)

Sel et poivre du moulin

Dans une poêle, faire chauffer doucement l'huile avec la gousse d'ail. Laisser sur feu doux une minute, le temps que l'ail parfume l'huile. Retirer la gousse d'ail.

Dans la poêle, faire dorer les cubes de viande à feu vif, de 2 à 3 minutes. Réserver la viande.

Dans la même poêle, faire dorer les légumes à feu doux, de 2 à 3 minutes. Réserver et laisser refroidir.

Enfiler la viande et les légumes sur des brochettes en alternant. Saupoudrer les brochettes d'herbes. Saler et poivrer.

Faire cuire 10 minutes environ au barbecue à feu moyen.

Servir avec une salade verte.

Le fait de dorer préalablement vos cubes de viande et morceaux de légumes vous permettra d'obtenir une cuisson uniforme de l'ensemble, à chaleur vive sur le barbecue.

YVES VOUS CONSEILLE :

Veillez à couper des cubes bien réguliers pour bien réussir vos brochettes.

Pour les brochettes de bœuf, vous avez le choix de pièces de viande bon marché et tendres, comme le boston de surlonge ou le cœur de ronde (rumsteak) ou encore le contre-filet.

Pour les brochettes de veau, choisissez la surlonge (quasi).

Pour des brochettes de porc, demandez du filet.

Pour des brochettes de poulet, prenez des morceaux de poitrine ou de haut de cuisse.

Pour parfumer vos brochettes, je vous suggère ces associations : ail et cerfeuil pour le veau; muscade, gingembre et cari pour le porc; estragon, gingembre et paprika pour le poulet.

Steak tartare

POUR 6 PERSONNES | TEMPS DE PRÉPARATION : 15 MINUTES

1,2 kg (2 1/2 lb) de viande de bœuf maigre, hachée

Le jus de deux citrons

75 ml (1/3 t.) d'huile d'olive

5 ml (1 c. à t.) de moutarde forte

125 ml (1/2 t.) de câpres, égouttés

3 échalotes, hachées finement

15 ml (1 c. à s.) de sauce Worcestershire

8 gouttes de Tabasco

4 jaunes d'œufs

2 branches de persil plat, hachées finement

Sel et poivre du moulin

Dans un saladier, mélanger la viande et le jus de citron. Réserver au réfrigérateur.

Dans un bol, mélanger l'échalote, le persil, l'huile, la moutarde, la sauce Worcestershire et le Tabasco. Ajouter les jaunes d'œufs et les câpres. Mêler intimement à la viande.

Servir aussitôt accompagné d'une salade verte et de frites maison.

YVES VOUS CONSEILLE :

On choisit souvent le filet de bœuf pour préparer le tartare. Mais comme c'est une pièce assez onéreuse, on peut le remplacer par de la surlonge prise dans la partie du boston (rumsteak), par de la ronde qui donne une viande très maigre ou la bavette, très goûteuse.

La viande doit être hachée au couteau, idéalement à la maison, peu avant de la servir. On tranche d'abord des lanières d'un demi centimètre (1/4 po) d'épaisseur, qu'on recoupe en languettes d'un demi centimètre (1/4 po) de largeur et que l'on retaille en petits cubes d'un demi centimètre (1/4 po) de côté.

Pour une variante, on ajoute des anchois hachés finement et on sert le jaune d'un petit œuf ou d'un œuf de caille « à cheval » sur le tartare de chaque convive.

Le Porc

Le porc

Comment déterminer la qualité
d'une pièce de porc

La couleur est un premier indicateur de la qualité. Il faut rechercher une chair présentant une belle couleur rosée et éviter celle qui est d'apparence pâle, d'un rose-grisâtre ou pire, gris-rosé. Le gras doit être idéalement blanc et la chair ferme et d'aspect humide, mais sans excès. Le grain de viande sera plutôt fin pour les pièces tirées des parties tendres et un peu plus gros pour les pièces d'épaules ou provenant des pattes.

Coupes de viande et modes de cuisson

Le porc se subdivise en quatre parties primaires : la fesse qui procure les plus gros morceaux pour les rôtis comme la ronde et la noix, d'où l'on tire également les jambons avec ou sans os, les pièces à rôtir lentement comme l'intérieur et l'extérieur de ronde, la pointe de surlonge et les pièces à tailler en cubes à braiser ou à hacher; le dos qui comprend les pièces les plus tendres, mais aussi les plus maigres comme la longe, les filets, la surlonge, mais aussi les côtes levées de dos; le flanc qui fournit le bacon et le lard ainsi que d'autres côtes levées; l'épaule enfin, du haut de laquelle on tire la palette (ou paleron) et d'où proviennent les rôtis avec ou sans os; plus bas et jusqu'au haut de la patte, cette partie de l'épaule est désignée dans le commerce par le terme «pic-nic» et comprend diverses pièces dont des rôtis avec os, des cubes à braiser et de la viande à hacher.

Sa chair a la particularité de ne pas être persillée, c'est-à-dire de ne contenir que très peu de gras, lequel se retrouve plutôt stocké entre les plans musculaires de l'animal. Sans persillage, il devient impossible d'utiliser une classification semblable à celle du bœuf. On classe donc les porcs en fonction du taux de viande maigre obtenu par rapport au taux de gras et le classement varie de 1 à 4 selon qu'on obtient davantage de viande maigre que de gras par carcasse. La première catégorie (1) offre une proportion maximale de maigre par rapport au gras et c'est elle qui se trouve très majoritairement offerte au consommateur autant chez le boucher que dans les supermarchés.

Le défi que présente la cuisson du porc tient de l'absence relative de gras dans ses muscles. Si l'on ajoute à cette caractéristique le fait que beaucoup d'entre nous ont conservé l'impression que la viande de porc doit être bien cuite pour être salubre, on arrive à des cuissons excessives produisant des pièces de viande desséchées et durcies.

Réglons dès maintenant la question de la salubrité. La crainte qui persiste provient du fait que la viande de porc était au milieu du siècle

dernier affectée par la présence d'un parasite appelé trichine. Pour éviter la contamination humaine, il fallait cuire le porc suffisamment pour atteindre une température interne de 60 ºC (140 ºF). Par excès de précaution, plusieurs générations se sont habituées à consommer du porc cuit à des températures avoisinant les 70 ºC (160 ºF) de température interne. À ce stade, les tissus conjonctifs du porc se sont raidis au point d'avoir expulsé toute l'humidité présente dans le muscle, laissant une texture sèche, durcie et franchement résistante sous la dent.

De nos jours, il est recommandé de cuire le porc de manière à ne pas excéder 66 ºC (150 ºF) de température interne (après le temps de repos), ce qui correspond à une cuisson médium. À cette température, la chair est rosée en son centre et encore suffisamment humide pour demeurer élastique et tendre sous la dent. Le choix du mode de cuisson est également crucial lorsqu'on

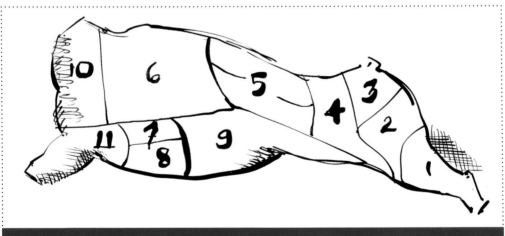

1. jarret arrière 2. fesse ou jambon 3. pointe ou surlonge 4. longe et filet
5. carré et côtes levées de dos 6. échine et côtes secondes 7 et 8. côtes de flanc
9. flanc ou poitrine 10. palette et épaule 11. jarret avant

doit au départ travailler avec une viande qui, dans ses coupes de choix, comme les pièces de longe ou le filet, est moins humide et plus maigre que le bœuf. Les muscles du porc ne contiennent pas beaucoup de collagène. En fait, leurs tissus conjonctifs contiennent d'avantage d'élastine, une protéine fibreuse structurale qui, sous l'effet de la chaleur, ne s'attendrit pas et ne lubrifie pas les fibres comme le fait le collagène. Elle durcit, au contraire, car plutôt que de se dissoudre, elle rétrécit et devient plus dense. Il faut donc privilégier les modes de cuisson à chaleur sèche pour les plus belles parties du porc et pour les pièces allant au four, s'assurer qu'elles ont été sorties du réfrigérateur 1 heure avant leur mise au four et que leur cuissson

a été démarrée à four froid. On s'assure ainsi que leurs fibres montent graduellement en température plutôt que de se durcir en étant saisies trop rapidement par une chaleur intense. Il faut éviter de prolonger plus que nécessaire la cuisson des pièces déjà maigres et se fixer comme limite de chaleur interne une température de 63 à 66 °C (145 à 150 °F) après le temps de repos. Bien évidemment, une pièce d'épaule ou de la fesse contenant du gras intermusculaire et des tissus conjonctifs, tout comme les jarrets, les hauts de patte, la palette, les côtes levées feront merveille en cuisson à chaleur humide, mais on devra limiter ce mode de cuisson à ces seules parties et encore ne pas le prolonger indûment.

Les temps et températures de cuisson

Si on utilise un thermomètre, une cuisson rosée se situe entre 60 et 63 °C (140 et 145 °F) de température interne et on arrive au bien cuit à 70 °C (158 °F). On constatera donc que la différence de température entre la cuisson rosée et la cuisson dite bien cuit est à peine de 10 degrés en Celsius ou de 20 degrés en Fahrenheit. Il est essentiel d'atteindre 71 °C (160 °F) pour la cuisson du porc haché.

Il faut le répéter pour le porc, encore plus que pour le bœuf, le secret d'une cuisson juteuse tient presqu'essentiellement dans le fait de travailler avec des pièces d'une épaisseur suffisante pour obtenir une belle cuisson de surface qui n'aura pas pour autant desséché la pièce en son centre. Règle générale, l'épaisseur souhaitable d'une tranche de porc mise à cuire à chaleur sèche sera d'au moins 2,5 cm (1 po), idéalement 4 cm (1 1/2 po) pour vous assurer une certaine marge de manœuvre à la cuisson.

Carré de porc

POUR 4 PERSONNES | TEMPS DE PRÉPARATION : 10 MINUTES | TEMPS DE CUISSON : 1 H 30

Ce plat est digne d'un roi. La technique du rôtissage à chaleur sèche lui convient parfaitement. Vous la trouverez expliquée en détail à la page 31. L'usage du thermomètre est à conseiller, et il faut veiller à ne pas dépasser les 63 à 66 °C (145 à 150 °F) de température interne pour obtenir une cuisson rosée et d'accorder au carré un temps de repos d'une dizaine de minutes hors du four, recouvert d'un papier aluminium.

YVES VOUS CONSEILLE :

Votre boucher se fera un plaisir de vous couper un carré de 5 à 6 côtes, de dénuder le bout des côtes et d'enlever le talon des côtes pour que la présentation soit plus soignée et le carré plus facile à découper.

1 carré de 1 kg à 1,2 kg (2½ lb), paré par le boucher

2 gousses d'ail, coupées en lamelles

15 g (1 c. à s.) de moutarde de Dijon

3 g (½ c. à s.) de thym frais

15 g (1 c. à s.) de beurre

5 ou 6 champignons sauvages, coupés en deux

125 ml (½ t.) de vin blanc sec

250 ml (1 t.) de fond de volaille

15 ml (1 c. à s.) de crème 35 %

Sel et poivre du moulin

Insérer des lamelles d'ail dans la chair du porc. Badigeonner le carré de moutarde. Saupoudrer de thym. Placer le carré dans une lèchefrite. Allumer le four à 175 °C (350 °F). Enfourner à four froid et cuire 1 h 30.

Vingt minutes avant la fin de la cuisson du carré, chauffer le beurre dans une poêle et faire sauter les champignons jusqu'à ce qu'ils soient légèrement grillés.

Au terme de la cuisson du porc, transférer le carré dans un autre plat.

Placer la lèchefrite sur la cuisinière et déglacer au vin blanc. Porter à ébullition de 1 à 2 minutes. Ajouter le fond de volaille, les champignons et la crème. Laisser réduire de moitié.

Servir accompagné d'un gratin de pommes de terre.

Jambon de fête

POUR 10 PERSONNES | TEMPS DE PRÉPARATION : 20 MINUTES | TEMPS DE CUISSON : 2 HEURES

Même les jambons dits prêts-à-manger tirent avantage d'être laissés à mijoter à petit feu quelque temps, ne serait-ce que pour en retirer une partie de la saumure qu'on leur aura injecté. L'eau de cuisson aromatisée leur confère également un goût agréable. Certaines recettes ajoutent de la bière, du jus d'orange, du sirop d'érable au bouillon. Même parfaitement cuit, le passage au four suivi de quelques arrosages est une étape à ne pas négliger pour le surcroit de saveur qu'elle amène.

YVES VOUS CONSEILLE :

Le jambon avec sa couenne est plus moelleux.

Si vous aimez le goût du fumé, demandez un jambon fumé deux fois.

1 jambon de 3 kg (7 lb)

1 oignon, piqué de 3 clous de girofle

1 carotte

1 branche de céleri

1 brin de thym

1 feuille de laurier

12 clous de girofle

250 ml (1 t.) de sirop d'érable

1 boîte de 450 ml (2 t.) d'ananas en tranches

1 boîte de 125 ml (½ t.) de cerises au marasquin

Placer le jambon dans une grande marmite, la coupe vers le bas, les légumes, le thym et le laurier autour. Recouvrir d'eau. Porter à ébullition. Laisser frémir de 40 à 45 minutes. Sortir le jambon et enlever le filet quadrillé qui l'enveloppe.

Faire réduire de moitié environ 750 ml (3 tasses) du bouillon.

Placer le jambon sur le côté dans une lèchefrite. Le piquer de clous de girofle. L'arroser de sirop d'érable et de bouillon réduit.

Allumer le four à 175 °C (350 °F). Enfourner et cuire 40 minutes en arrosant le jambon de temps à autre. Augmenter la température du four à 220 °C (425 °F). Arroser le jambon une dernière fois avec le jus de cuisson. Poursuivre la cuisson 5 minutes environ, de manière à ce que le jambon soit légèrement grillé sur le dessus. Retirer le jambon et réserver.

Faire dorer l'ananas dans un peu de jus de cuisson du jambon, dans la lèchefrite sur la cuisinière. Réserver.

Égoutter les cerises et les passer dans le jus de cuisson du jambon, dans la lèchefrite, sur la cuisinière.

Décorer le jambon avec les tranches d'ananas et les cerises.

Filtrer le jus de cuisson restant. Le servir en saucière.

Accompagner d'une purée de pommes de terre.

Jambonneau

POUR 4 PERSONNES | TEMPS DE PRÉPARATION : 40 MINUTES | TEMPS DE CUISSON : 1 H 45

1 jambonneau demi-sel

1 chou vert frisé, coupé en 4

15 g (1 c. à s.) de beurre

15 ml (1 c. à s.) d'huile végétale

ou

30 g (2 c. à s.) de graisse de canard

125 ml (1/2 t.) de vin blanc sec

4 carottes

4 pommes de terre

1 oignon

2 clous de girofle

1 gousse d'ail

1 brin de thym

1 feuille de laurier

Sel de mer

5 grains de poivre

Le jambonneau est situé directement à l'extrémité du jambon et provient lui aussi de la cuisse de l'animal. Souvent passé en saumure, il demande parfois à être trempé dans de l'eau froide quelques heures pour y laisser une partie de son sel. Ce morceau est moins fin et plus gélatineux que le jambon et demande une longue cuisson. On le cuit dans un bouillon aussi bien qu'en braisage. Le braisage au four lentement exécuté donne d'excellents résultats.

YVES VOUS CONSEILLE :

Pour cette recette, un jambonneau demi-sel est préférable.

Si vous ne trouvez que du jambonneau frais, faites-le braiser au four à 150 °C (300 °F) pendant deux heures et salez-le.

On peut utiliser des carottes entières ou finement râpées, ce qui donnera plus de corps à la sauce.

Placer le jambonneau dans une grande casserole. Le recouvrir d'eau froide. Porter à ébullition et laisser frémir 40 minutes. Écumer les substances qui remontent à la surface. Retirer le jambonneau et réserver.

Dans ce bouillon, faire blanchir le chou pendant 10 minutes. Retirer le chou et l'égoutter. Dans une cocotte, chauffer l'huile et le beurre (ou la graisse de canard) et faire dorer le chou. Mouiller avec le vin blanc. Ajouter le jambonneau, les carottes et les pommes de terre. Ajouter une louche du bouillon de cuisson du jambonneau. Ajouter l'oignon piqué de clous de girofle, l'ail, le thym, le laurier, le sel et les grains de poivre.

Allumer le four à 175 °C (350 °F). Enfourner et cuire de 1 h à 1 h 15.

Boudin à ma façon

900 g (2 lb) de boudin noir

2 pommes, épluchées et coupées en quatre (Cortland ou Empire)

1 pomme, non épluchée et coupée en tranches

45 g (3 c. à s.) de beurre

15 ml (1 c. à s.) d'huile d'olive

15 ml (1 c. à s.) de porto

Dans une casserole, placer les quartiers de pommes épluchées. Couvrir la casserole et placer sur feu très doux. Cuire 5 minutes.

Dans une poêle, chauffer le beurre et l'huile et faire sauter les tranches de pommes non épluchées de 3 à 4 minutes à feu moyen. Les déposer sur du papier absorbant. Réserver.

Mettre à griller le boudin dans la poêle de 7 ou 8 minutes en le tournant à l'occasion. Retirer quand la peau du boudin commence à gonfler. Déglacer la poêle au porto.

Dresser les pommes tranchées sur le rebord de l'assiette. Placer les quartiers de pommes au milieu et le boudin dessus. Arroser de jus de cuisson.

La saveur réside dans la confection du boudin lui-même. Il faut préférer les préparations artisanales qu'il suffit de réchauffer à la poêle ou au barbecue, à feu moyen, en les tournant fréquemment et en évitant de perforer la fine membrane qui les couvre.

YVES VOUS CONSEILLE :

On peut également griller le boudin entier au barbecue ou encore le préparer en bouchées; pour cela, coupez le boudin en petits morceaux que vous envelopperez d'une fine tranche de bacon recouvrant leurs faces coupées et maintenue avec un cure-dents. Faites griller et dégustez à l'apéritif.

Cochon de lait entier

POUR 8 À 10 PERSONNES | TEMPS DE PRÉPARATION : 15 MINUTES | TEMPS DE CUISSON : 2 H 30

Rôti au four ou au tournebroche, le cochon vous promet un festin digne des rois. Rien cependant n'égale la saveur d'un cochon cuit au tournebroche à la chaleur intense de la braise. La peau, qui s'auto-badigeonne de gras en tournant, se pare de belles dorures et développe un croustillant au goût légèrement fumé qui n'est pas que savoureux car il protège aussi de l'assèchement. La cuisson au four ne rendra que partiellement cette belle finition. Il faut dans tous les cas arroser fréquemment.

YVES VOUS CONSEILLE :

Au tournebroche, la cuisson du cochon sera plus longue qu'au four. Selon l'intensité du feu, la durée pourrait facilement augmenter de 30 à 50 minutes. Dans ce cas, il faut bien badigeonner l'intérieur de la bête et refermer le ventre avec des aiguilles à brider, un fil de fer fin ou de la ficelle de boucher. Prévoyez des arrosages fréquents et vérifiez la cuisson à l'aide d'un thermomètre à viande après 2 heures de cuisson. La chaleur interne doit atteindre au moins les 60 °C (140 °F).

1 cochon de lait d'environ 6 à 9 kg (15 à 20 lb)

300 g (1 1/4 t.) de margarine, ramollie

45 g (3 c. à s.) de graines de moutarde

2 brins de thym

3 feuilles de laurier

1 poignée de gros sel

6 pommes Granny Smith

6 pommes Empire

6 pommes Rainette

6 pommes Gala

12 figues séchées

4 branches de romarin

3 bâtonnets de cannelle

250 ml (1 t.) de mélasse

Placer une bonne poignée de gros sel dans un litre d'eau.

Dans un bol, mélanger la margarine, les graines de moutarde, le thym et le laurier. Badigeonner soigneusement l'intérieur du cochon avec le mélange. Déposer le cochon dans une grande lèchefrite. Envelopper les oreilles du cochon de papier aluminium.

Allumer le four à 160 °C (325 °F). Enfourner et cuire 2 h 30.

Toutes les dix minutes, badigeonner le cochon d'eau salée avec un pinceau pour éviter que des cloques ne se forment à la surface de la peau.

Après la première heure de cuisson, commencer à préparer les fruits : à l'aide d'une cuillère parisienne, retirer le cœur des pommes par le dessous afin de conserver la queue. Réhydrater les figues en les faisant tremper dans 250 ml (1 t.) de jus de cuisson.

Dans un bol, mélanger la mélasse, le jus de cuisson, le romarin et la cannelle. Verser sur les pommes et les figues.

Ajouter ce mélange dans la lèchefrite 30 minutes avant la fin de la cuisson.

Cochon de lait en fête

POUR 6 PERSONNES | TEMPS DE PRÉPARATION : 30 MINUTES | TEMPS DE CUISSON : 1 H 10

La technique utilisée ici est celle du rôtissage. Elle est expliquée en détail en page 31. La viande est saisie à la poêle plutôt qu'au four à température élevée afin d'éviter de la dessécher. Le secret de cette recette réside dans l'exécution attentive d'un bon brunissement. Voir en page 23, les explications sur cette étape.

YVES VOUS CONSEILLE :

Demandez à votre boucher de désosser le gigot ou l'épaule par l'intérieur pour avoir une pièce régulière.

Assurez-vous de bien faire dorer la viande avant de l'enfourner.

Pour préparer les quenelles de navet et de carottes, éplucher les légumes et les cuire à l'eau bouillante avec 2 ou 3 gousses d'ail. Au robot, réduire les légumes et l'ail en purée fine et façonner la purée en quenelles à l'aide de 2 cuillères à soupe.

1 gigot ou épaule de cochon de lait, désossé

15 g (1 c. à s.) de beurre

2 gousses d'ail, émincées

2 échalotes, émincées

2 brins de thym

2 feuilles de laurier

60 ml (1/4 t.) de vin blanc

2 carottes, en julienne

1 navet, en julienne

1 poireau, en julienne

15 g (1 c. à s.) de beurre

15 ml (1 c. à s.) d'huile d'olive

500 ml (2 t.) de xérès

500 ml (2 t.) de bouillon de volaille

Sel et poivre du moulin

Dans une poêle, chauffer 15 g (1 c. à s.) de beurre. Faire revenir les légumes en julienne avec l'ail, les échalotes, le thym et le laurier. Ajouter le vin blanc et laisser réduire aux 2/3. Réserver.

Dans la même poêle, chauffer le beurre et l'huile et dorer la pièce de porc sur toutes ses faces.

Déposer ensuite dans une lèchefrite. Allumer le four à 150 °C (300 °F). Enfourner à four froid et cuire de 20 à 25 minutes.

Retirer la pièce de porc du four, découper la viande en tranches de 1,25 cm (1/2 po) d'épaisseur. Disposer les légumes entre chaque tranche.

Porter la température du four à 175 °C (350 °F). Remettre la pièce au four et poursuivre la cuisson pendant 40 minutes.

Dans une casserole, faire réduire le bouillon de volaille avec le xérès jusqu'à consistance liquoreuse.

Pour servir, verser une louche de sauce au fond de chaque assiette. Disposer une tranche de porc. Poser dessus une portion de légumes. Entourer de quenelles de navets et de carottes.

Trois pièces de cochon de lait

et leur préparation aromatique

TEMPS DE PRÉPARATION : 10 MINUTES | TEMPS DE MARINADE : 2 HEURES

TEMPS DE CUISSON : POUR L'ÉPAULE : 50 MINUTES, POUR LA FESSE : 1 H 15, POUR LE CARRÉ : 40 MINUTES

1 épaule de cochon de lait de 800 g à 1 kg (1 1/2 à 2 lb)

ou

1 fesse de cochon de lait de 1,5 kg (3 lb)

ou

1 carré de cochon de lait de 1 kg (2 lb)

PRÉPARER LA POMMADE À FROTTER :

4 gousses d'ail, écrasées

1 oignon rouge, haché

1 piment rouge fort (chili)

50 g (4 c. à s.) de menthe fraîche, hachée

45 ml (3 c. à s.) d'huile d'olive

1 pincée de safran

30 g (2 c. à s.) de cassonade

3 g (1/2 c. à s.) de graines de coriandre

1,5 g (1/4 c. à s.) de cannelle

75 ml (5 c. à s.) de rhum

Sel et poivre du moulin

Mélanger les ingrédients de la pommade à frotter. Bien enduire la surface de la pièce de ce mélange et déposer dans un plat allant au réfrigérateur. Réfrigérer pendant 2 heures.

Retirer du réfrigérateur 30 minutes avant la cuisson. Égoutter et déposer la pièce dans une lèchefrite. Saler et poivrer.

Allumer le four à 160 °C (325 °F). Enfourner à four froid.

Cuire l'épaule 50 minutes, la fesse 1 h 15 et le carré 40 minutes.

Servir avec du fenouil braisé.

Trois pièces différentes, même technique de cuisson. Il s'agit ici de rôtir à chaleur sèche, tel qu'expliqué en page 31.

Si l'on souhaite obtenir une croûte aromatique, il faut arroser la pièce à quelques reprises avec les jus de cuisson durant la dernière demi-heure.

YVES VOUS CONSEILLE :

L'épaule de cochon de lait convient pour 3 personnes.

La fesse peut servir 4 ou 5 personnes.

Le carré est suffisant pour 3 ou 4 personnes.

Filet de porc

Le passage rapide au four aura pour effet de relâcher les fibres de la viande et leur donner du moelleux. Il faut veiller à ne pas prolonger cette durée plus que le temps recommandé pour que la chair demeure rosée et n'amorce pas une seconde cuisson.

YVES VOUS CONSEILLE :

On farine légèrement les tranches de filet pour leur donner un peu de croustillant en surface et pour sceller les sucs et la saveur de la viande.

1 filet de porc d'environ 800 g (1 3/4 lb)

15 g (1 c. à s.) de farine

15 g (1 c. à s.) de beurre

15 ml (1 c. à s.) d'huile végétale

1 oignon, émincé

125 ml (1/2 t.) de bouillon de volaille

1 brin de thym

1 feuille de laurier

3 g (1/2 c. à s.) de cumin ou de curry

Préchauffer le four à 175 °C (350 °F).

Couper de biais le filet de porc en tranches de 2 cm (3/4 po) d'épaisseur en commençant par le bout le plus mince et fariner légèrement chaque tranche.

Dans une poêle, chauffer le beurre et l'huile. Dorer les tranches de 1 à 2 minutes de chaque côté. Les transférer dans un plat à gratin et les déposer au four 5 à 6 minutes.

POUR LA SAUCE :
Dans une poêle, chauffer une noix de beurre et faire blondir l'oignon. Mouiller avec le bouillon. Ajouter le thym, le laurier et le cumin. Laisser réduire 2 minutes. Ajouter la crème pour donner consistance et couleur à la sauce. Filtrer la sauce.

Disposer les tranches de filet sur un plat de service. Arroser de sauce.

Ce plat s'accompagne bien d'un riz créole et de champignons sautés au beurre ou de pois en gousses, également sautés au beurre.

Échine de porc

L'échine, la palette, les plats-de-côtes et l'épaule sont des pièces qui demandent à être bouillies ou braisées et soumises à une cuisson prolongée. Ils sont la démonstration même de plats succulents qu'on peut tirer de pièces au départ jugées peu tendres. Elles le deviendront, après lente et longue cuisson, avec en prime un surcroît de saveur tiré des dérivés aromatiques qui se sont développés en cours de cuisson.

Il ne faut pas négliger ces pièces savoureuses en cuisine.

En tranches individuelles :

POUR 4 PERSONNES | TEMPS DE PRÉPARATION : 15 MINUTES | TEMPS DE CUISSON : 15 MINUTES

4 tranches d'échine de porc de 2 cm (3/4 po) d'épaisseur chacune

15 g (1 c. à s.) de moutarde forte

15 g (1 c. à s.) de chapelure

2 jaunes d'œufs, battus

15 ml (1 c. à s.) d'huile végétale

Sarriette, origan, thym, séchés

Sel et poivre du moulin

Battre les jaunes d'œufs dans une assiette.

À l'aide d'un pinceau, badigeonner les tranches d'échine de moutarde. Passer les tranches d'échine dans les jaunes d'œufs battus et puis dans la chapelure. Parsemer de sarriette, d'origan et de thym séchés.

Dans une poêle, chauffer l'huile et dorer les tranches 2 minutes de chaque côté.

Allumer le four à 175 °C (350 °F). Cuire au four de 12 à 15 minutes.

Servir immédiatement, accompagné de salsifis au naturel, revenus dans le jus de cuisson de la viande.

En rôti :

POUR 4 PERSONNES | TEMPS DE PRÉPARATION : 10 MINUTES

TEMPS DE MARINADE : 1 HEURE | TEMPS DE CUISSON : 1 H 30

1 morceau de 1,5 kg (3 lb) d'échine de porc

15 g (1 c. à s.) de moutarde forte

125 ml (½ t.) de vin blanc sec

1 brin de thym

1 feuille de laurier

Sel et poivre du moulin

YVES VOUS CONSEILLE :

L'échine de porc est une pièce un peu grasse, mais délicieuse.

On l'utilise aussi dans le cassoulet, la potée au chou et le petit salé aux lentilles.

À l'aide d'un pinceau, badigeonner l'échine de moutarde. La placer dans un plat allant au four.

Arroser de vin blanc. Ajouter le thym et le laurier. Laisser mariner 1 heure au frais.

Enfourner à four froid.

- À 175 °C (350 °F), prévoyez 1 h 30 de cuisson.

- À 150 °C (300 °F), prévoyez de 2 h à 2 h 30 de cuisson

- À 100 °C (215 °F), prévoyez environ 4 h de cuisson

Plus la cuisson est lente et douce, meilleur sera votre rôti.

Servir, accompagné d'une purée de légumes.

Travers de porc

Cette recette prévoit une cuisson au court-bouillon qui comporte un double avantage : celui de réduire le temps de cuisson sous le gril ou sur la grille évitant ainsi le dessèchement des côtes. Comme il s'agit d'un complément de cuisson, une caramélisation des sucs de la marinade sur un feu d'intensité moyenne limitera les brusques flambées et la carbonisation de surface, ce qu'il faut absolument éviter au gril comme sur la grille du barbecue.

YVES VOUS SUGGÈRE :

Les travers de porc peuvent aussi être coupés en morceaux de 2,5 cm (1 po) de long, cuits de la même façon et présentés comme bouchées avec une sauce du commerce, à votre choix.

4 travers de 450 g (1 lb) chacun

2 carottes, coupées en deux

1 oignon, coupé en quartiers

1 branche de céleri

1 poireau

1 bouquet garni (laurier, thym et persil)

Poivre en grains

Sel

POUR LA SAUCE :

2 échalotes, émincées

2 gousses d'ail, pressées

1 tige de citronnelle, hachée

30 ml (2 c. à s.) de miel

60 ml (1/4 t.) de sauce soja

Préparer le court-bouillon : plonger les légumes et les aromates dans une casserole d'eau froide. Porter à ébullition et laisser frémir 10 minutes. Prévoir un court-bouillon suffisant pour couvrir les travers.

Placer les travers dans le court-bouillon et laisser frémir pendant 20 minutes.

Pendant ce temps, mélanger les ingrédients de la sauce.

Égoutter les travers et les badigeonner de sauce.

Passer au gril ou au barbecue et cuire 5 minutes de chaque côté jusqu'à obtenir une belle caramélisation.

VARIANTE
Côtes levées en sandwich
Une fois cuites, on peut désosser les côtes et en garnir un pain baguette. On les accompagnera de figues et d'une salade de roquette. On peut utiliser la même sauce que l'on fera réduire jusqu'à l'obtention d'un sirop pour en napper la viande.

Côtes de porc

POUR 4 PERSONNES | TEMPS DE PRÉPARATION : 10 MINUTES | TEMPS DE CUISSON : 15 MINUTES

*Excellente recette.
J'ai ajouté du
sel de mer et du
poivre sur la
viande avant
de la mettre
au four.*

La chair du porc est moins humide que celle du bœuf; il faut donc la cuire sans excès de chaleur au risque de l'assécher et de la durcir, ce qui serait dommage pour une si belle pièce. Prévoyez un temps de repos à couvert au sortir du four pour que les jus se répartissent de nouveau dans l'ensemble de la pièce. Il faut éviter de tailler la viande avant la période de repos.

YVES VOUS CONSEILLE :

Pour cette recette, demandez une côte de 2,5 cm (1 po) d'épaisseur coupée dans le carré qui est plus moelleux que le filet. Si vous n'avez pas sous la main les ingrédients nécessaires à la sauce, vous n'apprécierez pas moins cette pièce de porc servie nature à sa sortie du four.

4 côtes de porc de 2,5 cm (1 po) d'épaisseur

30 g (2 c. à s.) de beurre

15 ml (1 c. à s.) d'huile

1 gousse d'ail, finement émincée

1 échalote, finement émincée

125 ml (½ t.) de vin blanc sec   *→ j'ai remplacé par*

250 ml (1 t.) de fond de volaille   *du bouillon de pou...*

60 ml (¼ t.) de crème 35 %   *et 1 cuillère de*

Sel et poivre du moulin   *vinaigre de riz .*

18%.

Préchauffer le four à 160 °C (325 °F).

Dans une poêle, chauffer le beurre et l'huile. Faire dorer les côtes à feu moyen 2 minutes de chaque côté. Les placer dans un plat allant au four et cuire 10 minutes de plus.

Dans la poêle ayant servi à dorer les côtes, faire revenir l'ail et l'échalote. Ajouter le vin blanc.

Laisser réduire de 2 à 3 minutes. Ajouter le fond de volaille. Laisser réduire de moitié et ajouter la crème en l'incorporant bien. Laisser réduire quelques minutes sans amener à ébullition.

Napper les côtes avec cette sauce.

Servir immédiatement.

VARIANTE :
Dans une poêle, faire sauter au beurre des champignons émincés et les ajouter à la sauce avant de servir. Saler et poivrer au goût.

Brochettes de porc

20-25 cubes de porc de 2,5 cm (1 po) de côté

15 ml (1 c. à s.) d'huile d'olive

15 ml (1 c. à s.) de vin blanc

30 ml (2 c. à s.) de miel

3 g (1/2 c. à s.) d'épices mélangées (cumin, curry, paprika, romarin)

4 tranches de bacon

1 poivron vert ou rouge, coupé en morceaux

2 tomates, coupées en quatre

Sel et poivre du moulin

Dans un plat allant au réfrigérateur, mélanger l'huile d'olive, le vin blanc, le miel et les épices.

Ajouter les cubes de porc, couvrir d'une pellicule plastique et faire mariner 30 minutes au froid.

Dans une poêle, faire revenir les tranches de bacon et les morceaux de poivron 3 minutes. Retirer et réserver.

Égoutter les cubes de porc et les faire dorer dans la même poêle.

Préchauffer le four à 165 °C (325 °F) ou le barbecue à température moyenne.

Enfiler sur des brochettes en alternant un morceau de poivron, un quartier de tomate, un morceau de bacon et un cube de porc. À l'aide d'un pinceau, badigeonner de marinade.

Cuire au four ou au barbecue de 12 à 15 minutes en retournant les brochettes.

Les cubes déjà dorés ne mettront pas longtemps à atteindre la cuisson rosée, au four comme au barbecue. Cuits au barbecue, vous ne les retournerez qu'une fois, à mi-cuisson, en les badigeonnant périodiquement de marinade pour éviter le dessèchement, car cette viande est très maigre.

YVES VOUS CONSEILLE :

Choisissez des cubes de porc coupés dans la fesse, la longe ou le filet.

Pour ajouter de la couleur, vous pouvez intercaler des morceaux d'ananas sur les brochettes.

On fait cuire les brochettes à basse température pour leur conserver leur tendreté.

Poitrine de porc (ou flanc de porc)

POUR 4 PERSONNES | TEMPS DE PRÉPARATION : 2 HEURES | TEMPS DE MARINADE : 12 HEURES | TEMPS DE CUISSON : 2 HEURES

1 poitrine de porc de 1 kg à 1,2 kg (2¼ à 2½ lb)

2 oignons moyens, coupés en quartiers

2 carottes, coupées en rondelles

125 ml (½ t.) de vin blanc sec

1 brin de thym

1 feuille de laurier

2 clous de girofle

1 poivron rouge, coupé en lanières

Sel et poivre du moulin

Dans un plat allant au four, placer la poitrine de porc avec tous les autres ingrédients.

Laisser mariner au frais pendant 12 heures.

Allumer le four à 150 °C (300 °F). Couvrir le plat de papier aluminium et cuire 2 heures.

Servir accompagnée de légumes en purée (pommes de terre, carottes, céleri-rave).

C'est une des pièces les plus grasses du porc qui, autrement, ne l'est plus vraiment de nos jours. On l'utilise à l'occasion pour apporter de la saveur à un mijoté. Pour elle-même, elle constitue un plat savoureux, bien que rustique, mais le plus souvent, elle s'accompagne de saucisses. Elle est fréquemment dite « demi-sel » parce que saumurée. Il faut la laisser à tremper quelques heures dans l'eau froide pour diminuer l'apport en sodium.

YVES VOUS CONSEILLE :

La poitrine de porc peut aussi servir à faire des lardons. On la coupe en petits morceaux que l'on fait blanchir deux à trois minutes, puis sauter à la poêle. On utilise les lardons dans la recette du lapin chasseur, de la pintade au chou ou de la frisée aux lardons.

Palette de porc

La palette, composée de muscles entourant l'omoplate du porc, sera plus tendre que la longe grâce à la présence de gras intermusculaire et de tissus conjonctifs contenant du collagène qui, bien que nettement moins présent dans le porc que dans le bœuf, joue son rôle en cours de cuisson. Elle se cuit en braisage, lentement et longuement, presqu'à sec, et vaut la peine d'être découverte. Voir les notes sur cette technique en page 24.

YVES VOUS CONSEILLE :

On peut remplacer le vin blanc par une mesure égale de lait bouillant.

On peut aussi piquer d'ail la palette et la faire mariner quelques heures dans du vin blanc aromatisé de thym, de laurier, de carottes, d'oignons et de clous de girofle. Dans ce cas, on la met directement au four, dans sa marinade, sans la faire dorer au préalable.

Une palette de porc de 1,2 kg (2 1/2 lb)

3 oignons moyens, tranchés

3 gousses d'ail, tranchées

30 ml (2 c. à s.) d'huile d'olive

1 brin de thym

1 feuille de laurier

4 ou 5 pommes de terre, coupées en grosses rondelles

125 ml (1/2 t.) de vin blanc

Sel et poivre du moulin

1 bouquet de persil plat

Dans une poêle, chauffer l'huile et faire dorer l'oignon et l'ail avec le thym et le laurier.

Retirer et réserver.

Dans la même poêle, faire colorer la palette.

Dans un plat allant au four, disposer les oignons et les gousses d'ail au fond du plat, la palette dessus et les tranches de pommes de terre autour. Saler et poivrer au goût. Couvrir de papier aluminium. Allumer le four à 175 °C (350 °F). Enfourner à froid et cuire de 1 h 45 à 2 heures.

Retirer la palette du plat de cuisson. Filtrer le jus de cuisson.

Au besoin, écraser les oignons et une ou deux tranches de pommes de terre pour faire une sauce onctueuse.

Servir la palette entourée des tranches de pommes de terre. Parsemer de persil frais.

Rouelle de porc

POUR 6 PERSONNES | TEMPS DE PRÉPARATION : 15 MINUTES | TEMPS DE CUISSON : 2 HEURES

1 rouelle de porc de 1,5 kg (3 lb) et d'au moins 5 cm (2 po) d'épaisseur

1 brin de thym

3 feuilles de sauge

2 feuilles de laurier

1 oignon

2 clous de girofle

250 ml (1 t.) de bouillon de volaille

Dans une casserole, amener le bouillon de volaille à ébullition.

Émietter le thym, le laurier et la sauge sur la rouelle. Placer la rouelle dans une cocotte avec l'oignon piqué de clous de girofle et le bouillon de volaille chaud. Saler et poivrer. Couvrir la cocotte. Allumer le four à 175 °C (350 °F). Enfourner et cuire pendant 1 h 45.

Filtrer le jus de cuisson et le verser dans une saucière.

Accompagner la rouelle d'une purée de légumes (brocoli, chou-fleur).

Cette recette utilise la technique du braisage prolongé dans un milieu aromatique pour assouplir les fibres et exalter les saveurs. L'épaisseur de la tranche importe, car trop mince, elle a tendance à devenir sèche.

YVES VOUS CONSEILLE :

La rouelle est une tranche épaisse de jambon frais, le plus souvent avec os, vraiment moelleuse lorsqu'elle provient du haut de la cuisse. On la laisse cuire lentement et longuement, puis on la laisse refroidir dans la cocotte et on la sert froide avec des cornichons, de la moutarde et du pain de campagne que les plus intrépides tartinent de graisse de rôti.

Le Veau

Veau

Le veau

Comment déterminer la qualité d'une pièce de veau

L'âge de la bête et la diète qu'on lui a fait suivre auront un effet sur la couleur, l'apparence et la qualité de sa chair. La distinction entre le veau de lait et le veau de grain dépend du type d'alimentation qu'a connu l'animal. Il peut avoir été nourri exclusivement à la formule lactée jusqu'au moment de l'abattage, soit entre 4 et 5 mois (20 semaines est la norme), ce qui confère à sa chair une couleur rose-pâle, une texture de gras plutôt fine d'une couleur allant du blanc crémeux au blanc ivoire, ainsi qu'une assez bonne présence de gras intermusculaire. La diète de lait en poudre reconstitué qu'on lui sert est hautement énergétique et protéinique de sorte qu'il n'a besoin d'aucune hormone de croissance pour atteindre le poids recherché soit environ 200 kg (440 lb). Pour conserver ses attributs de veau de lait, on évite de l'envoyer en pâturage où il pourrait brouter de l'herbe, ce qui aurait une incidence sur la couleur de sa chair. Il est donc élevé à l'intérieur où il n'aura pas à fournir d'effort musculaire pour assurer sa survie. Ce type d'élevage fournit une viande tendre à souhait, moins grasse encore que celle du veau de grain pourtant qualifié d'extra-maigre par comparaison au bœuf.

Le veau nourri au grain, habituellement le maïs, montre une chair légèrement plus foncée allant du rose au rouge pâle. Son gras est un peu plus jaune. Ce mode d'élevage produit un animal plus charnu que celui qui est élevé au lait. Les veaux naissants sont regroupés dans des élevages spécialisés, d'abord nourris au lait de 6 à 8 semaines, puis progressivement amenés à une alimentation à base de maïs, comprenant des suppléments de protéines. À son alimentation à base de grains, on ajoute des suppléments vitaminiques et des minéraux pour obtenir une croissance équilibrée jusqu'à 24 semaines d'élevage. Le poids recherché se situe entre 295 et 320 kg (650 et 705 lb) parfois un peu plus pour les bêtes destinées directement aux abattoirs. Ces jeunes bêtes sont élevées en enclos collectifs, le plus souvent gardées à l'intérieur, bien que parfois un parcours extérieur leur soit accordé selon les conditions climatiques. Ce type d'élevage et cette alimentation produiront une viande rosée caractéristique, à faible teneur en gras (insaturé à 60 %) et en cholestérol et riche en fer et protéines. Sa saveur sera légèrement plus prononcée que celle du veau de lait.

La classification du veau se fait selon deux critères : la couleur d'abord, qui sera évaluée sous quatre niveaux, allant du rose pâle (1) jusqu'au rouge (4); la conformité de l'animal ensuite, allant de A à C. Par exemple, la certification *Veau de grain du Québec certifié* n'est attribuée qu'aux bêtes classées A1 et A2.

Coupes de viande et modes de cuisson

La carcasse du veau se partage en six coupes primaires : l'épaule où l'on trouve également le bas de carré, donne de beaux rôtis, de la viande à découper en cubes et les côtes dites découvertes. D'une tendreté moyenne, cette section de la bête tirera profit des méthodes de cuisson à chaleur humide en cocotte notamment, pourvu qu'on ne les prolonge pas trop.

La section des côtes qui regroupe les parties les plus nobles, dont le carré, est d'une grande tendreté. Les muscles y sont maigres en leur centre et gras en contour. Ils seront mieux apprêtés par des cuissons à chaleur sèche peu prolongées. Cette section est suivie de la longe qui recèle également d'excellentes découpes. On y trouve une partie du filet et du contre-filet qu'on cuira idéalement comme la section des côtes, soit en rôtis ou en tranches, avec la même précaution.

Le cuisseau (qui correspond à la croupe) vient ensuite avec ses belles pièces à rôtir comme le quasi, la noix et la sous-noix, en appellation française. Au Canada, on utilise le terme surlonge pour désigner le quasi, ainsi que les termes ronde et oeil de ronde pour désigner la noix et la sous-noix, bien que cela soit un emprunt inadéquat à la classe bovine. Cette section se prête, selon la découpe, à une variété de modes de cuisson, mais donnera les meilleurs résultats en cuisson à chaleur sèche. Elle se termine par le jarret arrière d'où l'on tire notamment de quoi faire l'osso buco et qu'on doit soumettre à une cuisson prolongée. Enfin vient la poitrine qui contient le flanchet, le tendron et les hauts-de-côtes. Elle sera réservée aux pièces à sauter rapidement, ainsi qu'à braiser et à mijoter plus longuement.

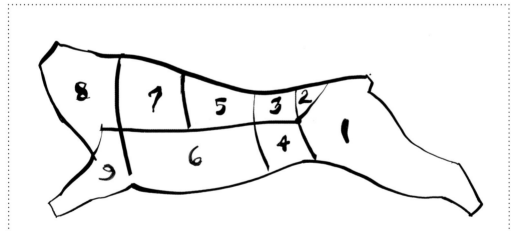

1. noix, sous noix, noix pâtissière et jarret 2. quasi ou surlonge 3. longe 4. bavette
5. carré 6. flanc et poitrine 7. bas de carré 8. collier 9. jarret avant

Les temps et températures de cuisson

On peut consommer le veau rosé ou à point, les meilleurs résultats étant atteints lorsque la chair reste juteuse, soit aux environs de 57 °C (135 °F) de température interne. À 63 °C (145 °F) on obtient une viande à point et à 67 °C (152 °F) on atteint la cuisson dite bien cuit. Idéalement on ne devrait pas dépasser 71 °C (160 °F) pour éviter le dessèchement, bien qu'il soit essentiel d'atteindre cette température de cuisson pour le veau haché.

La plupart des découpes de veau que l'on trouve dans nos comptoirs de boucherie se présentent en tranches d'épaisseur moyenne de 1,5 cm (1/2 po) et sont plutôt maigres. Si vous pouvez obtenir du boucher des tranches plus épaisses, nous vous le conseillons, quitte à partager chaque tranche entre deux convives, car l'épaisseur additionnelle vous donnera une plus grande marge de manœuvre lors de la cuisson. Il faut prendre ici les mêmes précautions de cuisson que pour le porc, soit de privilégier des modes de cuisson à chaleur intense, mais peu prolongée, voire même courtes lorsqu'il s'agit de fines côtelettes ou d'escalopes qu'on fera sauter à la poêle brièvement. Il vaut même mieux cuire un peu moins et laisser la cuisson se terminer à four chaud quelques minutes, que surcuire, même légèrement, et perdre ainsi tout le moelleux. Cette précaution vaut aussi pour les rôtis, de côtes ou de longes qu'il est préférable de cuire au four à 110 °C (225 °F) et sortir du four lorsque la température interne atteint 57 °C (135 °F) au thermomètre pour ensuite laisser reposer, recouverts d'une feuille d'aluminium, de 5 à 10 minutes afin que la chaleur interne s'équilibre autour de 62-63 °C (142-145 °F.) Vous serez enchantés par la tendreté et la saveur que vous en retirerez, laquelle ne sera que juste compensation pour le prix plutôt élevé de pareilles découpes.

Le veau se prête bien aux ajouts d'aromates et de fines herbes. Certaines pièces peu bardées que vous prévoyez rôtir peuvent être badigeonnées d'un mélange de moutarde, de farine et d'assaisonnements de votre choix pour les soustraire au dessèchement du four, d'autant plus que ces ingrédients, mêlés au jus de cuisson et au déglaçage du récipient de cuisson, feront une sauce exquise pour accompagner votre rôti.

Demandez à votre boucher de vous tailler des tranches plus épaisses que moins épaisses pour les pièces que vous destinez à la grille, à la poêle ou au barbecue. Il n'est généralement pas nécessaire de mariner vos pièces, à moins qu'elle nécessite une période d'attendrissement. Si vous les destinez au barbecue, prenez soin de bien les égoutter avant de les présenter au feu pour réduire les flambées soudaines alimentées par le surplus d'huile de la marinade.

Escalope de veau

POUR 4 OU 5 PERSONNES | TEMPS DE PRÉPARATION : 10 MINUTES | TEMPS DE CUISSON : 5 MINUTES

Il est pratiquement impossible d'obtenir une cuisson rosée avec une escalope d'un 1/2 cm (1/4 po) d'épaisseur. Faites-les tailler au double d'épaisseur et cuisez-les rapidement à feu vif à la poêle, sous le gril ou au barbecue. Dans les deux derniers cas, il n'est pas nécessaire de fariner. On peut cependant huiler légèrement l'escalope pour accélérer le brunissement. Utilisez un marteau de boucherie ou le plat d'un couteau de chef, si nécessaire, pour uniformiser l'épaisseur.

YVES VOUS CONSEILLE :

Demandez à votre boucher de couper des escalopes dans la noix ou la surlonge de veau et de les aplatir pour qu'elles aient toutes la même épaisseur.

4 escalopes de veau

15 g (1 c. à s.) de farine

15 g (1 c. à s.) de beurre

15 ml (1 c. à s.) d'huile végétale

1 gousse d'ail, émincée

1 échalote, émincée

60 ml (¼ t.) de vin blanc ou de xérès

125 ml (½ t) de fond de veau ou de glace de veau

125 ml (½ t.) d'eau

1 poignée de pleurotes ou de champignons de Paris

30 ml (2 c. à s.) de crème 35 %

Préchauffer le four à 160 °C (325 °F).

Fariner légèrement les escalopes. Dans une poêle, chauffer l'huile et le beurre. Faire dorer les escalopes 1 minute de chaque côté. Les retirer et les placer dans un plat allant au four. Cuire au four de 2 à 3 minutes.

Dans la poêle, faire sauter les champignons. Retirer et réserver.

Faire dorer la gousse d'ail et l'échalote dans la poêle. Déglacer avec le vin ou le xérès. Laisser évaporer et ajouter le fond de veau, l'eau et les champignons. Laisser frémir quelques instants et ajouter la crème. Laisser réduire pour obtenir une sauce onctueuse.

Napper les escalopes de sauce.

Servir avec des tagliatelles au beurre.

Cervelle de veau

POUR 2 PERSONNES | TEMPS DE PRÉPARATION : 30 MINUTES | TEMPS DE CUISSON : 20 MINUTES

1 cervelle de veau

½ l (2 t.) d'eau

60 ml (¼ t.) de vin blanc

1 carotte, coupée en dés

1 oignon, coupé en dés

1 branche de céleri, coupée en dés

1 brin de thym

1 feuille de laurier

2 tiges de persil

2 ou 3 grains de poivre

Le jus d'un citron

1 pincée de farine

60 g (4 c. à s.) de beurre

30 ml (2 c. à s.) de vin doux (vermouth blanc)

15 ml (1 c. à s.) de crème 35 %

15 g (1 c. à s.) de câpres ou de poivre vert

Nettoyer la cervelle en la faisant dégorger dans de l'eau froide vinaigrée environ 10 minutes. Enlever les filaments sanguins.

Préparer un court-bouillon : dans une casserole, amener l'eau à mijoter avec le vin blanc, les légumes, le thym, le laurier, le persil, le poivre et le jus de citron pendant 10 minutes.

Faire pocher la cervelle de 3 à 5 minutes dans le court-bouillon frémissant. La retirer. Filtrer le court-bouillon.

Enlever la fine membrane qui enveloppe la cervelle. Escaloper la cervelle ou la tailler en cubes et fariner.

Dans une sauteuse, chauffer le beurre et faire dorer la cervelle sur toutes ses faces 2 minutes. Arroser de jus de citron. Retirer et réserver au chaud.

Déglacer la sauteuse avec le vin doux. Ajouter le court-bouillon filtré et réduit. Ajouter la crème et les câpres (ou le poivre vert).

Servir avec des champignons sautés.

Vous trouverez tout ce qui est utile de savoir sur la technique du pochage au court-bouillon expliqué plus en détail en page 27.

YVES VOUS CONSEILLE :

La cervelle se doit d'être bien fraîche. Commandez-la d'avance chez votre boucher.

Sur le marché, la cervelle de veau est plus courante que la cervelle d'agneau. On la prépare de la même façon. Les deux se servent bien dans des vol-au-vent.

Blanquette de veau

POUR 4 PERSONNES | TEMPS DE PRÉPARATION : 30 MINUTES | TEMPS DE CUISSON : 2 HEURES

Ce plat longuement mijoté à feu doux permet d'utiliser en partie des pièces de viande peu ou moyennement tendres, mais comportant assez de gras et de tissus conjonctifs pour obtenir la quantité de gélatine nécessaire à l'onctuosité de cette préparation. On obtiendrait un résultat moins savoureux avec des cubes de viande provenant de parties plus nobles. Consultez les pages 19 et 20 pour mieux comprendre ce phénomène.

YVES VOUS CONSEILLE :

Pour une bonne blanquette, demandez à votre boucher une variété de morceaux : collier de veau, épaule de veau et poitrine (tendrons).

1 kg (2¼ lb) de veau, en cubes

450 g (1 lb) de tendrons de veau, en cubes

250 ml (1 t.) de vin blanc

250 ml (1 t.) d'eau

2 carottes, tranchées en cubes

1 branche de céleri, coupée en tronçons

1 oignon, piqué de 2 clous de girofle

1 brin de thym

1 feuille de laurier

60 g (4 c. à s.) de beurre

60 g (4 c. à s.) de farine

2 jaunes d'œuf

60 ml (¼ t.) de crème 35 %

1 pincée de muscade en poudre

Sel et poivre du moulin

1 bouquet de persil ou de cerfeuil, ciselé

Dans une cocotte, déposer la viande et la couvrir de vin et d'eau. Porter à ébullition et laisser frémir. Écumer après 40 minutes de cuisson.

Ajouter les carottes, le céleri, l'oignon, le thym et le laurier. Laisser frémir 1 heure à feu moyen. Réserver la viande au chaud et passer le bouillon au tamis.

Dans une casserole, faire un roux blanc avec le beurre et la farine. Laisser cuire 4 à 5 minutes pour faire brunir.

Mouiller avec le bouillon de cuisson de la blanquette. Cuire 20 minutes à feu doux en remuant.

Ajouter les deux jaunes d'œufs et la crème. Assaisonner de sel, de poivre et de muscade. Ajouter la viande et poursuivre la cuisson à feu doux encore 10 minutes.

Parsemer de persil ou de cerfeuil ciselé.

Servir avec un riz créole et des champignons de Paris sautés au beurre.

Rôti de veau dans l'épaule

POUR 4 OU 5 PERSONNES | TEMPS DE PRÉPARATION : 20 MINUTES | TEMPS DE CUISSON : 1 H 20

Pour une cuisson rosée, on veillera à ne pas dépasser 63 °C (145 °F) de température interne. Le rôti sera à point en ayant atteint 66 °C (150 °F). La marge n'est pas considérable. C'est pourquoi nous préconisons l'usage d'un thermomètre de cuisson et suggérons de cesser la cuisson un peu avant d'avoir atteint la température interne désirée.

YVES VOUS CONSEILLE :

Pour bien dorer votre viande, ajouter une pincée de sucre, ce qui empêchera le beurre de noircir.

1 rôti de veau bardé d'environ 1,2 kg (2½ lb)

15 g (1 c. à s.) de beurre

15 ml (1 c. à s.) d'huile d'olive

2 carottes, coupées en dés

1 oignon, coupé en dés

1 branche de céleri, coupée en dés

60 ml (¼ t.) de vin blanc ou d'eau

60 ml (¼ t.) de fond de veau

60 ml (¼ t.) d'eau

Quelques brins de cerfeuil, marjolaine ou sauge

Sel et poivre du moulin

Dans une poêle, chauffer le beurre et l'huile. Faire revenir les légumes pendant 3 minutes.

Retirer et réserver.

Dans la même poêle, faire dorer la viande sur toutes ses faces. La retirer et la déposer dans une cocotte. Déglacer la poêle au vin ou à l'eau. Verser les sucs de viande sur le rôti. Ajouter les légumes.

Allumer le four à 175 °C (350 °F). Couvrir la cocotte et faire cuire au four pendant 50 minutes.

Sortir le rôti du four. Enlever la ficelle et la barde de lard. Remettre au four avec les jus de braisage, le fond de veau et l'eau. Placer des légumes blanchis (brocoli, choux fleur) dans la cocotte autour du rôti. Ajouter les brins d'herbes aromatiques et poursuivre la cuisson 15 minutes, puis laisser reposer à four fermé, porte entre-ouverte, de 5 à 10 minutes.

Dresser la viande accompagnée de ses légumes sur un plat de service.

Rôti de veau dans la noix

POUR 6 PERSONNES | TEMPS DE PRÉPARATION : 30 MINUTES | TEMPS DE CUISSON : 1 H 30

1 rôti de veau de 1,2 ou 1,5 kg (2¹/₂ ou 3 lb) pris dans la ronde (noix)

2 carottes, en petits dés

1 oignon, en petits dés

1 branche de céleri, en petits dés

15 ml (1 c. à s.) d'huile d'olive

15 g (1 c. à s.) de beurre

60 ml (¹/₄ t.) de vin blanc

125 ml (¹/₂ t.) d'eau chaude

250 ml (1 t.) de fond de veau

250 ml (1 t.) d'eau

1 brin de cerfeuil

Quelques feuilles de sauge

60 ml (¹/₄ t.) de crème 35 %

Sel et poivre du moulin

Le veau est une viande de choix. Morceau pour morceau, il coûte plus cher que le bœuf. Il est aussi plus délicat à cuire. L'usage d'un thermomètre est donc recommandé. Vous trouverez en page 132 les indications de température interne à surveiller et quelques précisions sur la cuisson.

Dans une poêle, chauffer le beurre et l'huile. Faire revenir les légumes. Retirer et réserver.

Faire dorer le rôti dans la poêle sur toutes ses faces et réserver. Déglacer au vin blanc. Placer le rôti dans un plat allant au four avec les légumes et le jus de déglaçage.

Allumer le four à 175 °C (350 °F). En démarrant à four froid, faire cuire de 1 h 15 à 1 h 30. À mi-cuisson, arroser d'eau chaude.

Retirer et réserver la viande. Éteindre le four. Déposer le rôti sur un plat de service et laisser reposer à four tiède, porte entr'ouverte, le temps de préparer la sauce.

Dans le plat qui a servi à la cuisson, ajouter le fond de veau allongé d'eau et laisser réduire de moitié sur feu moyen-vif. Ajouter le cerfeuil et la sauge. Poursuivre la réduction pour obtenir environ 60 ml (¹/₄ t.) de sauce par personne.

Filtrer la sauce. Ajouter la crème. Saler et poivrer.

Servir avec des pâtes.

YVES VOUS CONSEILLE :

Les escalopes sont tranchées dans la noix ; c'est tout dire sur la tendreté de cette viande très maigre. Dans la sous-noix et l'épaule, la viande est plus nerveuse et plus ferme. Il est préférable de faire barder ces pièces.

Faites couper votre rôti dans la fesse (noix de veau ou noix de ronde, qu'on appelle aussi noix pâtissière). Comptez de 150 à 200 g, (un peu moins de 1/2 lb) par personne.

Poitrine de veau farcie

POUR 4 PERSONNES | TEMPS DE PRÉPARATION : 30 MINUTES | TEMPS DE CUISSON : 2 HEURES

La poitrine est un morceau assez maigre, de moyenne tendreté. Ainsi farcie, on la cuit au four comme un rôti après l'avoir dorée à la poêle sur toutes ses faces. On ne doit pas s'attendre à une cuisson rosée, car il faut cuire la farce de façon complète. Cette farce contient des aromates qui feront merveille et apporte une humidité essentielle en cours de cuisson. Consultez au besoin les notes sur la technique du rôtissage en page 31.

YVES VOUS CONSEILLE :

Commandez la poitrine de veau à l'avance chez votre boucher.

Pour une variante, demandez à votre boucher de tailler une poche dans la poitrine afin d'y mettre la farce. Dans ce cas, vous posez les épinards, la farce et les œufs durs sur une crépine de porc. Vous repliez la crépine en galette. Vous fermez la crépine avec des cure-dents et vous la placez avec soin dans la poche aménagée dans la poitrine de veau. Vous ficelez ensuite la poitrine et la faites cuire à plat.

1 poitrine de veau, désossée et cartilage retiré

225 g (½ lb) de porc haché

225 g (½ lb) de veau haché

1 botte d'épinards frais, lavés et équeutés

2 œufs

1 pincée de muscade

1 brin de cerfeuil, ciselé

Sel et poivre du moulin

60 ml (¼ t.) de vin blanc

4 œufs, cuits durs

1 brunoise (2 carottes, 1 oignon, 1 branche de céleri, coupés en dés)

15 g (1 c. à s.) de beurre

15 ml (1 c. à s.) d'huile

125 ml (½ t.) de fond de veau

Dans une casserole d'eau bouillante, blanchir les épinards 30 secondes. Les égoutter sur un papier absorbant.

Préparer la farce : dans un bol, mélanger les viandes, les œufs, la muscade, le cerfeuil, le sel et le poivre et un filet de vin blanc.

Placer la poitrine sur une planche à découper. Avec un long couteau, couper horizontalement par le milieu dans l'épaisseur, sans aller jusqu'au bout. Ouvrir la poitrine en deux comme un portefeuille.

Placer la poitrine ouverte à plat sur une pellicule plastique. Étaler une couche de feuilles d'épinards sur la surface. Déposer une mince couche de farce sur les feuilles d'épinards.

Au centre de la pièce de viande, disposer les œufs durs, l'un à la suite de l'autre, sur la longueur. Recouvrir d'une couche de farce. Terminer par une couche de feuilles d'épinards. À l'aide de la pellicule plastique, rouler le côté le plus long de la poitrine sur lui-même. Ficeler la pièce de viande.

Dans une poêle, chauffer le beurre et l'huile. Faire dorer la brunoise. Retirer et réserver.

Dans la même poêle, faire dorer la poitrine. Placer la brunoise et la poitrine dans un plat allant au four. Allumer le four à 175 C° (350 °F). Enfourner à four froid et cuire pendant 1 h 30. Retirer la viande et réserver au chaud.

Déglacer la poêle au vin blanc et verser le déglaçage dans le plat de cuisson. Verser le fond de veau dans le plat de cuisson et faire réduire la sauce.

Servir avec une purée de patates douces ou des tranches de carottes sautées au beurre.

Joue de veau

POUR 4 PERSONNES | TEMPS DE PRÉPARATION : 30 MINUTES | TEMPS DE MARINADE : 12 HEURES | TEMPS DE CUISSON : 3 HEURES

Cette découpe présente au départ une certaine quantité de gras que la cuisson lente par braisage dans une petite quantité de liquide aura tôt fait d'éliminer tout en conférant au jus de cuisson une belle onctuosité. Voir les explications sur cette technique de cuisson en page 24.

YVES VOUS CONSEILLE...

De demander à votre boucher des noix de joue, de préférence dégraissées.

Vous pourriez également exécuter cette recette avec des joues de porc ou de bœuf.

ET VOUS SUGGÈRE :

De terminer la cuisson en ajoutant des copeaux de Parmesan agrémentés d'olives vertes et de jus d'olives préalablement réduit dans la sauce.

8 joues de veau

500 ml (2 t.) de vin blanc ou rouge

60 ml (¼ t.) de vin doux (marsala, xérès, ou vermouth blanc)

2 oignons, coupés en quartiers

2 carottes, coupées en rondelles

Un brin de thym

Une feuille de laurier

1 filet d'huile d'olive

15 g (1 c. à s.) de farine

2 pincées de sucre

15 ml (1 c. à s.) de vinaigre balsamique

Sel et poivre du moulin

Quelques feuilles de sauge pour la décoration

La veille, mettre les joues de veau à mariner dans le vin mélangé au vin doux auquel vous aurez ajouté une pincée de sucre, l'huile, les oignons, les carottes, le thym et le laurier.

Le jour même, égoutter les joues et les légumes. Dans une poêle, chauffer le beurre et l'huile. Faire dorer les légumes.

Fariner les joues de veau et les faire dorer à la poêle. Les sucrer légèrement.

Placer le tout, viande, marinade et légumes, dans une cocotte. Allumer le four à 150 °C (300 °F). Couvrir la cocotte et faire cuire 3 heures au four. Réserver les joues au chaud. Réservez à part les carottes ayant servi à la cuisson.

Filtrer le jus de cuisson dans une casserole. Déglacer la cocotte avec du vinaigre balsamique. Ajouter au jus de cuisson et faire réduire la sauce aux 2/3. Saler et poivrer au goût.

Garnir de feuilles de sauge.

Servir avec les carottes de la cuisson, des quenelles de patates douces et des champignons sauvages sautés au beurre.

Jarret de veau façon « Osso-buco »

POUR 4 PERSONNES | TEMPS DE PRÉPARATION : 20 MINUTES | TEMPS DE CUISSON : 1 H 30

La technique de cuisson à chaleur humide est toute indiquée ici. Elle est expliquée en détail en page 24 et vous permettra de réaliser à la perfection ce grand classique de la cuisine italienne.

YVES VOUS CONSEILLE :

Pour faire un bon Osso-buco, le jarret de veau de lait est recommandé, mais il est cher. On peut le remplacer avantageusement par du jarret de veau de grain, plus abordable et également goûteux.

4 tranches de jarret de veau de 4 cm (1 1/2 po) d'épaisseur

15 g (1 c. à s.) de farine

15 ml (1 c. à s.) d'huile d'olive

4 carottes, émincées

1 oignon, émincé

1 branche de céleri, émincée

1 poivron vert, tranché en lanières

60 ml (1/4 t.) de vin blanc

3 tomates pelées, épépinées et coupées en dés

1 brin de thym

1 feuille de laurier

Sel et poivre du moulin

1 gousse d'ail, finement hachée

Le zeste d'une orange, finement émincé

1 bouquet de persil, ciselé

Dans une cocotte, chauffer l'huile et faire revenir les carottes, l'oignon et le céleri pendant 3 minutes. Retirer et réserver.

Fariner légèrement les tranches de jarret. Les faire dorer sur chaque face. Réserver.

Déglacer la cocotte au vin blanc. Remettre les légumes et la viande dans la cocotte. Ajouter les tomates, le thym et le laurier. Couvrir la cocotte et laisser cuire à feu doux 1 h 30.

Au moment de servir, ajouter l'ail, le zeste et le persil.

Servir avec des pâtes au beurre.

Sauté de veau

L'étape cruciale de cette recette consiste à bien dorer les cubes. C'est alors que les saveurs se développent et se fixent. Cette procédure est bien expliquée en page 23.

YVES VOUS CONSEILLE :

Choisissez des morceaux dans l'épaule de veau ou le bas de carré. Il est bien important de faire couper des cubes réguliers pour obtenir une cuisson uniforme.

1 kg (2¼ lb) de veau en cubes, pris dans l'épaule

4 carottes, coupées en dés

1 oignon, coupé en dés

1 branche de céleri, coupée en dés

1 bouquet de persil plat

15 g (1 c. à s.) de beurre

125 ml (½ t.) de fond de veau

125 ml (½ t.) d'eau

250 ml (1 t.) de vin blanc

15 g (1 c. à s.) de pâte de tomates

1 brin de thym

1 feuille de laurier

Le zeste d'une orange

Dans une cocotte, chauffer le beurre et l'huile. Faire revenir les légumes de 2 à 5 minutes. Réserver.

Déposer quelques cubes de veau et les faire dorer sur toutes les faces. Saler et poivrer. Répéter avec le reste des cubes.

Ajouter le fond de veau, l'eau, le vin blanc, la pâte de tomates, le thym, le laurier et le zeste d'orange. Remettre les légumes. Couvrir la cocotte et faire mijoter à feu moyen pendant 1 h 30.

Vérifier avec la pointe d'une brochette que la viande soit tendre.

Servir avec une purée de pommes de terre et des haricots verts au beurre.

VARIANTES :
Pour un sauté de veau au citron, coupez les légumes en julienne. Remplacez le vin blanc par le jus d'un citron et le zeste d'orange par un zeste de citron.

Pour un sauté de veau marengo, remplacez les légumes par des poivrons en lamelles, des tomates tranchées et des champignons.

Langue de veau

POUR 4 PERSONNES | TEMPS DE PRÉPARATION : 20 MINUTES | TEMPS DE CUISSON : 2 HEURES

Même s'il est question de cuire à frémissement, la technique employée ici est davantage celle d'un long mijotage que d'un pochage, car la cuisson se prolonge sur une assez longue période.

Il est parfois difficile d'obtenir la température idéale sur l'élément de la cuisinière qui fonctionne, par intermittence, au thermostat. Le four assure un meilleur contrôle de température et le choix d'un récipient capable de conserver longuement la chaleur, comme la fonte, qu'elle soit émaillée ou non, est un atout.

YVES VOUS CONSEILLE :

La langue de veau demande moins de cuisson que la langue de bœuf, mais les deux se préparent de la même façon. Sur le marché, on les trouve souvent congelées, mais la fraîche est préférable. C'est un plat exquis qui pour certains est un véritable repas de fête. Dans cette recette, vous pouvez remplacer les cornichons par des câpres.

1 langue de veau

1 1/2 l (6 t.) d'eau froide

1 carotte

3 oignons

1 branche de céleri

1 brin de thym

1 feuille de laurier

60 g (4 c. à s.) de beurre

60 ml (1/4 t.) de vinaigre de vin rouge

5 g (1/2 c. à s.) de pâte de tomates

3 ou 4 cornichons, émincés

15 g (1 c. à s.) de moutarde

2 feuilles de céleri, ciselées

Sel et poivre du moulin

Dans une casserole, déposer la langue et recouvrir d'eau froide. Porter à ébullition. Laisser frémir 40 minutes. Écumer.

Ajouter la carotte, 2 oignons, le céleri et le thym et la feuille de laurier. Poursuivre la cuisson pendant 1 heure.

Retirer et laisser tiédir la langue. Enlever la peau. (La langue est cuite à point quand la peau se détache facilement).

Faire réduire le bouillon.

Hacher l'oignon restant. Le faire dorer au beurre. Déglacer au vinaigre.

Ajouter une louche de bouillon filtré, la pâte de tomates, les cornichons, la moutarde et les feuilles de céleri. Saler et poivrer.

Servir avec du riz ou des pommes de terre.

Carré de veau

POUR 4 PERSONNES | TEMPS DE PRÉPARATION : 30 MINUTES | TEMPS DE CUISSON : 1 H 15

1 carré de veau de 1,2 kg (2½ lb) environ

15 ml (1 c. à s.) d'huile d'olive

15 g (1 c. à s.) de beurre

1 oignon, coupé en dés

1 branche de céleri, coupée en dés

2 carottes, coupées en dés

1 tomate, pelée, épépinée et coupée en dés

1 brin de thym

1 feuille de laurier

1 pincée de sucre

125 ml (½ t.) de vin blanc

125 ml (½ t.) de fond de veau

125 ml (½ t.) d'eau

Quelques feuilles de basilic

Quelques feuilles de sauge

Sel et poivre du moulin

Le degré de cuisson idéal est d'environ 63 °C (145 °F) au thermomètre à viande, ce qui vous donnera une texture rosée et moelleuse. Votre marge de manœuvre est mince, car à 66 °C (150 °F) on arrive déjà à une cuisson à point. Il est préférable de cuire le carré légèrement moins et le laisser reposer au four éteint et porte entr'ouverte. La cuisson se poursuivra lentement.

Préchauffer le four à 175 °C (350 °F).

Dans une poêle, chauffer le beurre et l'huile. Faire sauter les légumes avec le thym et le laurier. Retirer et réserver.

Dans la même poêle, ajouter la pincée de sucre et faire dorer le carré sur toutes ses faces.

Retirer le carré de la poêle et le déposer dans une lèchefrite. Ajouter les légumes.

Déglacer la poêle au vin blanc. Verser le déglaçage sur le carré.

Couvrir la lèchefrite de papier aluminium et faire cuire au four de 50 minutes à 1 heure, selon le degré de cuisson désiré.

Éteindre le four, entrouvrir la porte et laisser le carré y reposer 5 minutes. Transférer le carré dans un plat de service et réserver au chaud.

Verser le fond de veau et l'eau dans la lèchefrite, ajouter le basilic et la sauge. Saler et poivrer.

Faire réduire la sauce de moitié et la filtrer. La garder au chaud.

Découper le carré en tranches. Il devrait être rosé au centre. Napper chaque tranche de sauce.

YVES VOUS CONSEILLE :

Une grande variété de légumes peut accompagner ce plat. Des fonds d'artichauts blanchis et farcis de champignons feront parfaitement l'affaire.

Tendron de veau

POUR 4 PERSONNES | TEMPS DE PRÉPARATION : 30 MINUTES | TEMPS DE CUISSON : 2 HEURES

Voici une belle application de la technique de cuisson à chaleur humide, suivi de l'ajout d'une touche finale qui apportera un léger croquant à la surface de cette viande goûteuse à souhait.

YVES VOUS CONSEILLE :

Le tendron est la poitrine de veau en partie désossée. Faites couper le tendron du côté du flanchet de manière à avoir les morceaux de cartilage les plus tendres et faites ficeler le tendron.

1 tendron de veau d'environ 1,5 kg (3 lb)

15 g (1 c. à s.) de beurre

15 ml (1 c. à s.) d'huile olive

1 oignon, coupé en dés

2 carottes, coupées en dés

1 branche de céleri, coupée en dés

125 ml (1/2 t.) de vin blanc

125 ml (1/2 t.) de fond de veau

125 ml (1/2 t.) d'eau

30 g (2 c. à s.) de chapelure fine

30 g (2 c. à s.) de graisse de canard

Dans une cocotte, chauffer le beurre et l'huile. Faire dorer le tendron. Ajouter l'oignon, les carottes et le céleri et laisser dorer également. Déglacer au vin blanc. Laisser très doucement mijoter à couvert de 1 h 30 à 1 h 45. Retirer et réserver la viande au chaud.

Ajouter le fond de veau et l'eau dans la cocotte et laisser réduire de moitié.

Couper le tendron en tranches de 2 cm (3/4 po) et les saupoudrer de chapelure.

Dans une poêle, chauffer la graisse de canard et faire dorer les tranches pendant 2 minutes de chaque côté. Filtrer le jus de cuisson.

Servir avec des carottes glacées et des quenelles de patates douces.

Pour dresser, disposer des rondelles de carottes glacées au fond de l'assiette. Déposer la tranche de tendrons et les quenelles de patates douces sur le dessus. Napper de jus de cuisson. Décorer de cerfeuil.

Rognons de veau

POUR 2 PERSONNES | TEMPS DE PRÉPARATION : 15 MINUTES | TEMPS DE CUISSON : 4 MINUTES

1 rognon de veau, paré et dégraissé

75 g (1/3 t.) de beurre

45 ml (3 c. à s.) d'huile d'olive

200 g (1 t.) de champignons

1 filet de jus de citron

15 ml (1 c. à s.) de cognac (facultatif)

15 g (1 c. à s.) de farine

125 ml (1/2 t.) de fond de veau

125 ml (1/2 t.) d'eau

15 ml (1 c. à s.) de crème 35 % (facultatif)

1 bouquet de persil, ciselé

Sel et poivre du moulin

On a avantage à ne pas prolonger indûment la cuisson des abats (rognons, foies, ris). Le veau est particulièrement fragile au dessèchement et il suffit parfois de peu, en cuisson de viande ou d'abats, pour en perdre tout le moelleux, surtout si la pièce à cuire est mince. Il est donc préférable de cuire à feu vif pour d'abord bien saisir en surface et retirer le poêlon du feu pour laisser reposer ensuite quelques minutes sous couvert, en laissant la seule chaleur accumulée compléter la cuisson.

Dans une poêle, faire rissoler les champignons dans 30 g (2 c. à s.) de beurre et 30 ml (2 c. à s.) d'huile. Ajouter le filet de citron et réserver. Saler et poivrer.

Couper le rognon en morceaux égaux de 2 cm (3/4 po) de côté.

Dans une sauteuse, à feu vif, faire dorer les morceaux de rognons dans 15 g (1 c. à s.) de beurre et 15 ml (1 c. à s.) d'huile de 3 à 4 minutes. Les flamber (facultatif). Les retirer avec une écumoire.

Ajouter 30 g (2 c. à s.) de beurre, la farine et incorporer à feu doux pour faire un roux.

Mouiller le roux avec le fond de veau et l'eau. Porter doucement à ébullition sans cesser de remuer, environ 3 ou 4 minutes, puis y verser la crème, si désiré. Bien incorporer et ajouter les rognons et les champignons. Parsemer de persil.

Servir avec un riz pilaf ou des pommes de terre rissolées.

YVES VOUS CONSEILLE :

Assurez-vous d'avoir des rognons très frais. S'ils dégagent une odeur qui ne vous semble pas totalement plaisante, mettez-les dans une passoire et plongez-les une minute dans de l'eau très chaude. Assurez-vous de bien les sécher ensuite.

Ris de veau

POUR 4 PERSONNES | TEMPS DE PRÉPARATION : 15 MINUTES | TEMPS DE CUISSON : 10 OU 12 MINUTES

Cette recette demande de réaliser un pochage léger, ce qui exige un peu d'attention, car laissés à mijoter plutôt qu'à frémir, les ris perdraient tout leur moelleux. Certains les apprécient brunis au beurre noir, ce qui demande un passage rapide à feu vif dans la poêle. On doit alors réduire le temps de pochage pour tenir compte du surcroît de cuisson amené par cette façon de les cuire. Voir nos explications sur le pochage en page 27.

YVES VOUS CONSEILLE :

Dans les boucheries spécialisées, demandez des « pommes » de ris de veau et non des « chaînettes ». Les « pommes » valent un peu plus cher, mais elles sont bien meilleures.

Assurez-vous que les ris soient exempts de filets de sang et bien blancs. Sinon faites-les tremper 10 minutes dans de l'eau froide vinaigrée pour les préparer correctement

1 ris de veau de 800 g à 1 kg (2 lb)

500 ml (2 t.) d'eau

250 g (1 t.) de champignons, coupés en dés

1 carotte, coupée en dés

1 oignon, coupé en dés

1 branche de céleri, coupée en dés

1 brin de thym

1 feuille de laurier

30 g (2 c. à s.) de farine

60 g (¼ t.) de beurre

15 ml (1 c. à s.) d'alcool (cognac, armagnac) (facultatif)

15 ml (1 c. à s.) de crème 35 %

60 ml (¼ t.) de vin blanc

15 g (1 c. à s.) de câpres

Préparer d'avance le court bouillon de légumes : dans une casserole, amener l'eau à petite ébullition, ajouter les légumes, le thym et le laurier et laisser mijoter 10 minutes. Mettre à refroidir.

Plonger le ris de veau dans le court-bouillon froid. Porter lentement à ébullition. Laisser frémir de 10 à 12 minutes. Retirer le ris et le plonger dans de l'eau froide.

Enlever la fine membrane qui enveloppe le ris.

Filtrer le court-bouillon et le faire réduire de moitié.

Couper le ris en tranches égales ou en morceaux. Les fariner et les faire sauter à la poêle dans le beurre. Les flamber à l'alcool, si désiré. Retirer et réserver.

Verser le vin blanc dans la poêle. Laisser réduire 3 minutes.

Ajouter le bouillon filtré. Laisser réduire et ajouter la crème. Ajouter les câpres.

Servir avec des champignons sautés au beurre.

Côte de veau

Ici, la technique de cuisson à chaleur sèche est tout indiquée. Comme il est peu pratique de travailler cette cuisson au thermomètre, nous suggérons d'effectuer un léger brunissement et de terminer la cuisson au four. La chair du veau est moins humide que celle du bœuf. Il vaut mieux sous-cuire légèrement et réserver au chaud, pour laisser la chaleur résiduelle compléter la cuisson.

YVES VOUS CONSEILLE :

Vous pouvez aussi cuire les côtes au barbecue, à basse température, après les avoir fait mariner une heure dans du vin blanc, de l'origan, du cerfeuil, du cumin et une pointe d'échalote. Au barbecue, le temps de cuisson sera au total de 10 à 15 minutes à chaleur directe et de 20 à 25 minutes à chaleur indirecte, selon le degré de cuisson désiré.

4 côtes de veau de 2,5 cm (1 po) d'épaisseur

15 g (1 c. à s.) de beurre

15 ml (1 c. à s.) d'huile d'olive

2 échalotes, émincées

1 gousse d'ail

125 ml (½ t.) de vin blanc

125 ml (½ t.) de fond de veau

125 ml (½ t.) d'eau

200 g (½ t.) de champignons, tranchés

60 ml (¼ t.) de crème 35 %

Préchauffer le four à 175 °C (350 °F).

Dans une poêle, chauffer le beurre et l'huile. Faire dorer les côtes, à feu vif, 2 minutes de chaque côté. Placer les côtes dans un plat allant au four et poursuivre la cuisson environ 12 minutes pour une cuisson rosée et 15 minutes pour une cuisson à point.

Pendant ce temps, faire revenir les échalotes et l'ail dans la poêle. Ajouter les champignons et les faire sauter. Déglacer au vin blanc. Laisser réduire 3 minutes.

Ajouter le fond de veau, l'eau et la crème. Laisser réduire de moitié.

Napper les côtes de la sauce.

Servir avec une purée composée de panais et pommes de terre.

Fond blanc de veau

TEMPS DE PRÉPARATION : 20 MINUTES | TEMPS DE CUISSON : 6 À 8 HEURES | TEMPS DE REPOS : 48 HEURES

5 kg (10 lb) d'os de veau

1 kg (2 lb) de carcasses de volaille

1 pied de veau

500 g (1 lb) de carottes, coupées en tronçons

300 g (½ lb) d'oignons, coupés en quartiers

1 tête d'ail

1 branche de céleri, coupée en tronçons

1 poireau, coupé en tronçons

1 échalote grise

5 grains de poivre noir

5 grains de coriandre

1 bouquet garni (persil, thym, laurier) ficelé dans un coton à fromage

10 l (40 t.) d'eau

3 g (1 c. à t.) de sel par litre d'eau

Dans une grande marmite, mettre tous les ingrédients sauf les grains de poivre, de coriandre et le sel. Couvrir d'eau froide. Porter à ébullition et réduire le feu.

Commencer à écumer après 10 minutes et enlever périodiquement l'écume qui se forme au cours de la cuisson. Laisser cuire de 6 à 8 heures.

Une heure avant la fin de la cuisson, ajouter les grains de poivre, de coriandre et le sel.

Filtrer le bouillon dans une grande casserole. Laisser décanter 48 heures pour permettre aux substances solides de se déposer au fond. Prélever à la louche le liquide clarifié en prenant soin de ne pas agiter le dépôt au fond du récipient. Dès qu'une couche de gras se forme à la surface du liquide, il faut la retirer pour que la préparation reste en contact avec l'air ambiant.

La préparation d'un fond est le meilleur exemple de la mise en œuvre des processus qui créent la saveur. Ici, le temps de réduction et la patience que demande l'écumage sont les deux seules clés du trésor culinaire que représente un fond réussi.

YVES VOUS CONSEILLE :

Il faut au moins 6 heures de cuisson pour que la gélatine des os se dissolve.

Une fois refroidi, le fond sera gélatineux. Pour le congeler en petits contenants, réchauffez-le légèrement. Il redeviendra liquide. Prenez soin de répartir un peu des dépôts solides dans chacun des contenants.

Fond brun de veau ou de boeuf en « étouffade »

TEMPS DE PRÉPARATION : 20 MINUTES | TEMPS DE CUISSON : 6 À 8 HEURES | TEMPS DE REPOS : 48 HEURES

Le fait de procéder au brunissement des os, des carcasses et des pièces de viande engage la chaîne des réactions de Maillard dont on a parlé en début d'ouvrage en page 23. C'est grâce à ces réactions que les substances aromatiques se dégagent et se complexifient en conférant des aromes uniques à ce qui est mis à cuire. On ne saurait y arriver autrement.

1 kg de couenne de porc

5 kg (10 lb) d'os de veau

1 kg (2 lb) de carcasses de volaille

1 pied de veau

500 g (1 lb) de carottes, coupées en tronçons

300 g (½ lb) d'oignons, coupés en quartiers

1 tête d'ail

1 branche de céleri, coupée en tronçons

1 poireau, coupé en tronçons

1 échalote grise

5 grains de poivre noir

5 grains de coriandre

1 bouquet garni (persil, thym, laurier) ficelé dans un coton à fromage

10 l (40 t.) d'eau

3 g (1 c. à t.) de sel par litre d'eau

Faire griller les os de 10 à 15 minutes au four à 205 °C (450 °F) pour obtenir une belle coloration.

Mettre les os grillés, la couenne de porc et les autres ingrédients dans une grande marmite. Couvrir d'eau froide et procéder en tout point comme pour le fond blanc de veau.

Demi-glace et glace de viande

TEMPS DE PRÉPARATION : 20 MINUTES | TEMPS DE CUISSON : 6 À 8 HEURES | TEMPS DE REPOS: 48 HEURES

La demi-glace et la glace de viande sont des fonds auxquels on a ajouté du vin et que l'on a fait réduire pour concentrer davantage les saveurs.

Pour obtenir 4 litres de demi-glace, il faut disposer de 8 litres de fond brun de veau ou de bœuf, auquel on ajoute un demi-litre (2 tasses) de vin rouge ou blanc et qu'on laissera réduire lentement de moitié pendant 2 à 3 heures. On écume périodiquement la surface du liquide et on retire avec un pinceau les impuretés qui se fixent sur le bord de la casserole.

Pour concentrer davantage les saveurs, on fera réduire 4 litres de demi-glace du tiers jusqu'à obtention d'une consistance sirupeuse de couleur foncée.

Pour obtenir une glace, il faut poursuivre cette réduction jusqu'à ce qu'il ne reste que la moitié de la quantité initiale de demi-glace mise à réduire. On utilise la glace de viande pour faire une sauce en la doublant d'eau ou de vin.

La préparation d'un fond est un bel exemple de concentration de saveurs amené par la technique de cuisson à chaleur humide. On utilise diverses parures de viande, des os et des parties contenant du cartilage pour amorcer le fond. C'est ce même procédé qui est mis en application dans la préparation d'un mijoté et qui donne autant de saveur au plat. Dans ce cas précis, on choisit simplement des pièces de viande de meilleure qualité.

YVES VOUS CONSEILLE :

On peut congeler une glace de viande dans des bacs à glaçons. Une fois congelés, on extrait les cubes qu'on range dans un sac hermétique de congélation. Au besoin, pour corser une sauce, on prend un glaçon de glace de viande qu'on diluera avec une quantité égale d'eau ou d'un autre liquide. Pour obtenir une sauce concentrée au porto, par exemple, comptez une part de glace de viande pour un volume égal de porto.

la Volaille

La volaille

Nous abordons maintenant le chapitre qui traite de l'ensemble des animaux de basse-cour et que nous distinguons comme étant ceux que l'humain a domestiqués. Nous trouvons ici la poule, le poulet, le poulet de Cornouailles, la dinde, le dindon et le coq. L'oie devrait normalement apparaître dans ce générique, mais nous avons choisi d'en parler surtout dans la rubrique gibier à plumes où l'on retrouve également le canard et le pigeon le faisan, la pintade, le pigeonneau et la perdrix, car ses conditions d'élevage et les façons de la cuire s'apparentent mieux à ces derniers.

Comment déterminer la qualité d'une pièce d'une volaille

La chair de la volaille est d'ordinaire blanche ou légèrement jaune selon la lignée génétique d'où elle est issue et l'alimentation qu'on lui a donnée. La méthode de refroidissement après l'abattage peut avoir un effet sur la couleur de la peau, le refroidissement à l'eau glacée donnant une chair plus blanche, tandis que le refroidissement à l'air glacial donne une peau à l'aspect plus foncé.

Précisons dès le départ que toutes les volailles sont élevées au grain et aux sous-produits céréaliers, dans lesquels on trouve également des graines dites protéagineuses et le tourteau qu'on obtient après extraction de l'huile que contiennent ces graines (tourteau de canola ou de soja). Il est interdit depuis plus de quarante ans, malgré la croyance populaire, de leur donner des hormones de croissance. Par contre, leur diète quotidienne contient un faible pourcentage d'enzymes et d'antibiotiques (moins de 1 %), ainsi que des vitamines et des minéraux (environ 1,5 %) qui favorisent leur croissance, préviennent les maladies et aident leur digestion.

Il est rare de nos jours de pouvoir consommer des volailles élevées à la ferme en petit nombre et laissées libres de circuler et de se nourrir en picorant comme bon leur semble. La majorité des volailles produites pour la consommation sont élevées en poulaillers intérieurs dans des espaces à température et atmosphère contrôlés, non pas en cages comme beaucoup le croient, mais pas vraiment libres non plus de courir à leur guise et sur des litières dont on assure l'entretien périodique.

Si des règles strictes sont respectées dans les procédures d'élevage des volailles, il n'existe pas encore de programmes de traçabilité, bien que cela fasse partie des projets gouvernementaux prévus pour une date prochaine.

On ne peut donc identifier la provenance d'une volaille que si cette information apparaît sur l'étiquette du commerçant qui l'a produite ou mise en marché, mais il n'y a pas de règles précises qui régissent les informations à donner, ni les termes à employer. Le commerçant a toute liberté de choisir les expressions qu'il juge bon d'utiliser pour qualifier son produit.

L'expression «nourrie au grain» on vient de le dire, n'est pas distinctive en elle-même et l'expression «élevé en liberté» est toute relative et recoupe toutes sortes de réalités.

Au plan de la salubrité, si l'on se fie aux marchés du poulet à griller et de la dinde qui sont de loin les volailles les plus consommées au Canada, les producteurs, et particulièrement ceux du Québec et de l'Ontario (qui comptent pour 60 % de la production canadienne) se sont regroupés en fédérations et associations et souscrivent à des programmes d'analyses et de contrôles «de la ferme à la table». Ces programmes couvrent toutes les étapes de la production, de l'abattage et de la commercialisation, ce qui offre au consommateur un environnement plutôt sécuritaire pour la consommation des volailles. De considérables précautions ont été prises au Canada pour lutter contre les maladies affectant les volailles, notamment la grippe aviaire. La quasi-totalité du poulet présent dans nos supermarchés provient de fermes canadiennes. Une petite part vient des États-Unis et du Brésil qui appliquent des mesures aussi rigoureuses et complètes que celles du Canada.

Un nouveau label est apparu récemment dans nos marchés concernant la volaille et mentionnant, si c'est le cas, que cette dernière provient d'un élevage certifié biologique. Bien qu'il existe encore une certaine flexibilité dans la définition de ce qui constitue un élevage biologique, l'Agence canadienne d'inspection des aliments promet incessamment le dépôt de normes spécifiques pour ce label. Pour l'instant, la mention doit être accompagnée obligatoirement du logo de l'Agence de certification biologique qui assure l'inspection et le contrôle du produit et procure tout de même au consommateur une assurance additionnelle que cette volaille a connu des conditions d'élevage plus favorables à son bien-être et une alimentation exempte d'OGM, d'antibiotiques, de pesticides et d'engrais chimiques, ce qui est objectivement souhaitable.

Choisir le bon mode de cuisson

Cuire une volaille correctement se résume à peu de chose. La volaille se prête aussi bien aux modes de cuisson à chaleur sèche qu'aux modes à chaleur humide; le résultat est succulent dans tous les cas et n'exige pas que vous vous mettiez en frais de la soumettre à de grandes préparations. Sauf dans le cas de volailles plus petites et moins grasses, comme les cailles et les poulets de Cornouailles, il n'est pas nécessaire de barder de gras la région des filets.

Si vous faites rôtir votre volaille au tournebroche du barbecue ou au four, il suffit de l'assaisonner à votre convenance d'herbes ou condiments et de lui attacher les ailes et les pattes de manière à ce qu'elle conserve une forme compacte durant la cuisson. En fin de cuisson, surtout si son volume est important, vous pourrez couper les ficelles qui maintiennent les membres serrés contre le corps pour permettre à la volaille de dorer complètement. Vous pouvez également l'arroser de son jus de cuisson à deux ou trois reprises si vous aimez la peau croustillante ou plus souvent, si vous souhaitez une chair plus moelleuse. Comptez environ quarante minutes par kilo (vingt minutes par livre), ce qui se résume généralement à 60 ou 70 minutes de cuisson pour un poulet à griller de dimension standard pourvu que vous ayez pris la précaution de préchauffer l'intérieur du barbecue ou le four à 175 °C (350 °F) avant d'enfourner.

Les volailles de grande taille comme la dinde, le dindon ou l'oie ne nécessitent pas de préparatifs plus complexes. Elles seront cuites au four, en lèchefrite et à découvert, le temps nécessaire pour convenir à leur taille. Gardées entières, elles seront mises au four à haute température à 220-230 °C (425 – 450 °F) environ 20 minutes afin de brunir leurs surfaces, puis continueront à cuire à 160-175 ℃ (325 - 350 ℉) selon le volume à raison de 40 minutes par kilogramme (ou 20 minutes par livre). Quelques arrosages à même les jus de cuisson apporteront une belle coloration de la peau. Arroser moins souvent produira une peau plus dorée; arroser plus souvent conservera à la chair davantage d'humidité. L'arrosage périodique vous donnera l'occasion de vérifier si certaines parties plus fragiles de la volaille ne demandent pas d'être protégées d'une cuisson trop intense en les couvrant de papier d'aluminium.

On cuit généralement des volailles de bonne taille à l'occasion de fêtes traditionnelles et on veut souvent les accompagner d'une toute aussi traditionnelle farce. Nous recommandons de cuire cette farce à part, à la fois pour mieux en contrôler la cuisson, mais aussi pour ne pas prolonger indûment la cuisson de la volaille, car la présence de cette substance assez dense dans sa cavité retarde la propagation de la chaleur à l'intérieur de la volaille.

Vous pouvez également cuire une volaille entière hors du four, en cuisson à chaleur humide. Sous couvert dans un récipient de dimension suffisante pour que la volaille s'y tienne sans toucher les parois et reposant sur une clayette qui la maintiendra juste au-dessus du bouillon, vous amenez ce bouillon à petite ébullition en vérifiant périodiquement qu'il reste toujours suffisamment de liquide. Si vous devez en rajouter, il faut idéalement l'avoir préchauffé pour ne pas trop ralentir l'ébullition. Si vous n'êtes pas absolument certain de la tendreté de la chair de votre volaille, vous devrez alors l'immerger dans le bouillon et la mettre à bouillir, en vous assurant de ne jamais le faire à gros bouillons, ce qui extirperait toute l'humidité de sa chair. Il suffit d'amener le liquide de cuisson au frémissement pour obtenir d'excellents résultats. Dans les deux cas, vous aurez toute liberté d'agrémenter le liquide

de cuisson d'aromates et de légumes pour un supplément de saveur. Comptez au moins une heure de cuisson à l'étuvée ou par mijotage pour une volaille de 2,5 à 3,5 kg (3 à 4 livres).

Pour ceux qui préfèrent un mode de cuisson humide, à l'extérieur ou à l'intérieur du four, mais procurant un certain brunissement, nous suggérons le braisage à couvert dans un récipient à fond épais du genre cocotte en fonte émaillée. À feu doux sur l'élément de la cuisinière ou à température moyenne au four, le jus de cuisson et celui des légumes que vous y mettrez procure un fond de bouillon qui en mijotant lentement dégage une vapeur qui vient se refroidir sur la paroi intérieure du couvercle et retomber sur les aliments en les badigeonnant régulièrement. Quelques arrosages en fin de cuisson avec ce liquide résiduel chargé de saveurs suffiront à donner une belle coloration à la volaille.

Les indications qui précèdent ont été données la plupart du temps en fonction de la cuisson d'une volaille entière. Si vous avez à cuire des sections de volaille comme les cuisses ou les poitrines, nous suggérons de les sauter tout d'abord à la poêle à feu vif pour amener une belle coloration et terminer la cuisson à feu doux, avec ou sans couvercle, afin que la chaleur se répartisse bien également et que la chair ne se dessèche pas, car il ne faut jamais oublier que le taux d'humidité de la chair de volaille (qui se compare à celle du veau de lait) ne peut supporter des temps de cuisson bien longs sous chaleur sèche.

Un mot pour souligner que la chair de l'oie étant rougeâtre, certains préfèrent la cuire comme une viande rouge, sans dépasser un niveau de cuisson médium. La taille des poitrines fait en sorte qu'on peut également cuire ces morceaux par eux-mêmes, un peu à la manière des poitrines ou des magrets de canard La cuisson se fait alors en chaleur sèche à la poêle ou au gril en exposant d'abord la partie grasse à la chaleur.

Les temps et températures de cuisson

On trouve des volailles de toutes tailles, de 450 g à 2,750 kg (1 à 6 lb). Les temps de cuisson varient évidemment en fonction de la taille de l'oiseau et du mode de cuisson choisi. Règle générale, en introduisant un thermomètre à viande dans une partie charnue, que ce soit la cuisse ou la poitrine, on obtient une cuisson bien cuite après avoir atteint une température interne de 77 ° Celsius ou 170 ° Fahrenheit. Les tableaux ci-après tiennent compte de ces facteurs :

Temps de cuisson pour la volaille rôtie

Note : les temps de cuisson indiqués ci-dessous sont pour des volailles sans farce. Avec une farce, ajouter 20 minutes au temps de cuisson total.

Caille	450-700 g	(1 – 1¹/2 lb)	1 h – 1 h 15	à 175 °C/350 °F
Poulet	1,120 – 1,350 kg	(2¹/2 – 3 lb)	1 h – 1 h 15	à 190 °C/375 °F
	1,500 – 1,800 kg	(3¹/2 – 4 lb)	1 h 15 – 2 h	à 190 °C/375 °F
	2,200 – 2,250 kg	(4¹/2 – 5 lb)	1 h 30 – 2 h	à 190 °C/375 °F
	2,250 – 2,700 kg	(5 – 6 lb)	1 h 45 – 2 h 30	à 190 °C/375 °F
Canard	1,350 – 2,250 kg	(3 – 5 lb)	1 h 45 – 2 h 30	à 200 °C/400 °F
Oie	3,600 – 4,500 kg	(8 – 10 lb)	2 h 30 – 3 h	à 175 °C/350 °F
	4,500 – 5,400 kg	(10 – 12 lb)	3 h – 3 h 30	à 175 °C/350 °F
Dinde (entière)	2,700 – 3,600 kg	(6 – 8 lb)	3 h – 3 h 30	à 160 °C/325 °F
	3,600 – 5,400 kg	(8 – 12 lb)	3 h – 4 h	à 160 °C/325 °F
	5,400 – 7,200 kg	(12 – 16 lb)	4 h – 5 h	à 160 °C/325 °F
Dinde (blancs entiers)	1,800 – 2,700 kg	(5 – 6 lb)	1 h 30 – 2 h 15	à 160 °C/325 °F
	2,700 – 3,600 kg	(6 – 8 lb)	2 h 15 – 3 h 15	à 160 °C/325 °F

Temps de cuisson pour la volaille grillée

Note : disposer la volaille à 10 – 15 cm (4 – 6 po) de la source de chaleur et à 2,5 cm (1 po) de plus pour les morceaux les moins charnus). Si la viande dore trop vite, baisser légèrement la température.

Caille embrochée «en crapaudine*»	20 à 25 min.
Poulet, aplati ou embroché «en crapaudine»	25 à 30 min.
Poulet à rôtir, aplati ou embroché «en crapaudine»	30 à 40 min.
Blanc de poulet, pilon, haut de cuisse	30 à 35 min.
Blanc de poulet, sans peau et désossé	10 à 12 min.
Magret de canard désossé	10 à 12 min.

* en crapaudine : façon d'accommoder une volaille, fendue par le dos et aplatie à la manière d'un crapaud, pour la griller uniformément. On peut lui enfiler des brochettes (de bois ou de métal) par le travers afin qu'elle conserve sa forme en cours de cuisson.

Mousse de foies de volaille

POUR 6 PERSONNES | TEMPS DE PRÉPARATION : 15 MINUTES | TEMPS DE CUISSON : 6 MINUTES

Les abats sont de texture généralement fine et ne supportent pas de cuisson trop forte. Les foies doivent être cuits rosés, sans plus. Poursuivre la cuisson masque leur finesse et, dans certains cas, amène un goût légèrement acidulé. On les recouvre de gelée pour éviter l'oxydation de la surface de la mousse au contact de l'air.

YVES VOUS CONSEILLE :

Achetez de préférence des foies blonds — plus pâles et dorés comme les foies de pintade — que vous aurez réservés chez votre boucher. Si vous désirez une mousse plus crémeuse, doublez la quantité de beurre salé.

300 g (3/4 lb) de foies de volaille, parés*

30 g (2 c. à s.) de beurre doux

15 ml (1 c. à s.) d'huile d'olive

1 pincée d'herbes de Provence en poudre (thym, laurier)

3 échalotes, émincées

15 ml (1 c. à s.) de cognac

150 g (1¼ t.) de beurre salé

Poivre concassé

POUR LA GELÉE :

10 g (1 sachet) de gélatine non aromatisée

500 ml (2 t.) d'eau froide

15 ml (1 c. à s.) de cognac

1 feuille de laurier

(* parés : Les foies se présentent en deux lobes qu'il faut détacher et retirer le filet qui les relie.)

Dans une sauteuse, chauffer le beurre et l'huile. Ajouter les fines herbes. Faire dorer les foies de volaille et les échalotes à feu moyen de 4 à 6 minutes. Flamber au cognac.

Verser le tout dans le bol d'un mélangeur. Ajouter le beurre salé et mixer jusqu'à l'obtention d'un mélange mousseux. Ajouter le poivre. Passer au tamis. Déposer dans des petits ramequins.

POUR PRÉPARER LA GELÉE :

Dans une casserole, dissoudre la gélatine dans l'eau. Ajouter la feuille de laurier et porter à ébullition en remuant constamment. Ajouter le cognac. Retirer la feuille de laurier et laisser refroidir.

Couvrir les ramequins de gelée refroidie, avant qu'elle ne commence à figer.

Réfrigérer et garnir de poivre concassé. Servir avec du pain aux noix de Grenoble grillé.

Cette mousse se conserve 8 jours au réfrigérateur. On peut aussi la congeler.

Poule au riz

POUR 4 PERSONNES | TEMPS DE PRÉPARATION : 30 MINUTES | TEMPS DE CUISSON : 2 HEURES

Poules et coqs exigent de longues cuissons, braisées ou mijotées, comme c'est le cas dans cette recette-ci. On arrive de cette façon à attendrir leurs fibres musculaires. La présence d'un bouillon aromatique ajoute également de la saveur. On peut également les accommoder en daube longuement mijotée avec du vin blanc ou rouge.

YVES VOUS CONSEILLE :

La poule au riz, servie avec son potage en entrée, est un plat d'hiver savoureux et facile à faire. Si la poule a de l'âge, il faut prolonger la cuisson d'une quinzaine de minutes.

1 poule

3 l (12 t.) d'eau

1 branche de céleri

1 carotte

1 brin de thym

1 feuille de laurier

200 g (1 t.) de riz

60 g (4 c. à s.) de beurre

60 g (4 c. à s.) de farine

30 ml (2 c. à s.) de crème fraîche

1 pincée de muscade

300 g (1¼ t.) de champignons

Sel et poivre du moulin

Plonger la poule dans une grande casserole d'eau froide. Amener à ébullition. Laisser pocher 40 minutes. Écumer le bouillon. Ajouter le céleri, la carotte, le thym et le laurier et laisser frémir encore 1 heure au moins. Réserver la poule.

Prélever deux tasses de bouillon pour la cuisson du riz.

Prélever deux autres tasses de bouillon pour faire la sauce : dans une casserole, faire un roux en amalgamant le beurre et la farine sur feu moyen. Mouiller avec le bouillon. Ajouter la crème et la muscade. Saler et poivrer. Cuire 20 minutes jusqu'à épaississement, en remuant pour empêcher la sauce de coller.

Le reste du bouillon servira à préparer le potage. Le dégraisser dès qu'il est refroidi.

Couper les légumes cuits en petits dés et mettre dans le bouillon. Réchauffer le tout.

Dans une poêle, chauffer le beurre et faire sauter les champignons.

Servir la poule entière ou taillée en morceaux sur le riz, les champignons disposés autour et la sauce en saucière.

Poulet bio à la crème

POUR 4 PERSONNES | **TEMPS DE PRÉPARATION : 15 MINUTES** | **TEMPS DE CUISSON : 35 MINUTES**

Le succès de cette recette consiste à bien colorer les morceaux de volaille pour permettre aux sucs de bien s'exprimer.

On déglacera ensuite avec un liquide pour ne rien perdre des saveurs obtenues.

YVES VOUS CONSEILLE :

Au Québec, on ne trouve pas de poulet de Bresse, ou de poulet élevé selon les méthodes de la volaille dite de Bresse. On choisit à la place un bon poulet de grain.

1 poulet bio de 1,8 kg (4 lb) environ

100 g (½ t.) de beurre

1 oignon, coupé en quatre

2 gousses d'ail, écrasées

1 bouquet garni (persil, thym et laurier)

15 g (1 c. à s.) de farine

60 ml (4 c. à s.) de vin blanc sec

10 champignons, coupés en quartiers

750 ml (3 t.) de crème 35 %

1 filet de citron

Sel et poivre du moulin

Découper le poulet :

Prélever les cuisses et séparer le pilon du haut de cuisse. Lever les deux ailes. Couper les ailerons. Fendre la carcasse en deux dans le sens de la longueur pour obtenir les deux filets.

Dans une cocotte, chauffer le beurre. Déposer les morceaux de poulet, saler et poivrer. Ajouter l'oignon, l'ail et le bouquet garni. Faire colorer les morceaux de poulet à feu vif, de 5 à 8 minutes, jusqu'à ce qu'ils soient bien dorés. Saupoudrer de farine. Laisser brunir légèrement. Déglacer au vin blanc. Laisser réduire. Ajouter la crème. Cuire à découvert de 30 à 35 minutes à feu moyen. Retirer les morceaux de poulet. Réserver.

Passer la sauce au chinois et ajouter un filet de citron. Vérifier et rectifier l'assaisonnement.

Dans une poêle, chauffer le beurre et faire revenir les champignons et les ajouter à la sauce.

Dresser les morceaux de volaille dans chaque assiette et napper de sauce.

Accompagner de riz créole.

Coq au vin

POUR 4 PERSONNES | TEMPS DE PRÉPARATION : 10 MINUTES | TEMPS DE MARINADE : DE 12 À 24 HEURES | TEMPS DE CUISSON : 2 HEURES

Cette façon de cuire le coq combine deux techniques de cuisson. La méthode s'amorce comme une cuisson à l'étuvée pour se conclure en braisage à chaleur humide. L'étuvée sert à attendrir les fibres de sa chair; le braisage au vin rouge à assouplir sa texture davantage et lui donner des saveurs incomparables. Ce plat est un grand classique de la cuisine française.

YVES VOUS CONSEILLE :

On peut préparer le coq la veille et le réchauffer au moment de servir.

Prenez soin de le commander à l'avance à votre boucher, car on en trouve rarement.

Si vous ne trouvez pas de coq, vous pouvez utiliser un chapon. Le temps de cuisson du chapon sera légèrement réduit.

1 coq, coupé en morceaux

750 ml (3 tasses) de vin rouge

1 bouquet garni (thym, laurier, persil)

3 carottes

2 oignons, coupés en quatre

1 filet d'huile d'olive

2 clous de girofle

45 g (3 c. à s.) de beurre

15 ml (1 c. à s.) d'alcool (calvados, armagnac, cognac) (facultatif)

250 g (1 t.) de lardons

20 petits oignons, blanchis

1 pincée de sucre

30 g (2 c. à s.) de beurre

250 g (1 t.) de champignons

15 g (1 c. à s.) de farine

Sel et poivre du moulin

Dans un grand saladier, mettre les morceaux de coq et les 6 premiers ingrédients énumérés ci-haut. Laisser mariner de 12 à 24 heures au frais.

Égoutter le coq, l'éponger et réserver la marinade.

Dans une cocotte, chauffer le beurre et faire dorer les morceaux de coq 10 minutes. Flamber à l'alcool si désiré. Retirer de la cocotte et réserver.

Faire dorer les petits lardons dans la cocotte. Réserver.

Faire dorer les petits oignons. Les sucrer. Retirer et réserver.

Faire revenir les légumes, carottes et oignons. Retirer et réserver.

Dans une poêle, chauffer le beurre restant et faire rissoler les champignons. Égoutter.

(suite à la page suivante)

Préchauffer le four à 175 °C (350 °F).

Remettre le coq dans la cocotte. Saupoudrer d'un voile de farine. Retourner les morceaux et laisser brunir. Verser la marinade, petit à petit, pour éviter les grumeaux. Ajouter les lardons et les légumes.

Faire cuire au four de 2 h à 2 h 30. Vérifier la cuisson. Si la volaille n'est pas tendre, poursuivre la cuisson 15 minutes.

En fin de cuisson, ajouter les petits oignons et les champignons.

Servir ce plat majestueux avec une purée de légumes bien poivrée et des croûtons frits pour savourer la sauce.

Ailes de poulet barbecue

très bon !!!

POUR 4 PERSONNES | TEMPS DE PRÉPARATION : 5 MINUTES | TEMPS DE CUISSON : 15 MINUTES

16 ailes de poulet *ou hauts de cuisses sans la peau*

3 oignons verts, émincés

1 échalote, émincée

8 g (2 c. à s.) de cari

12 g (2 c. à t.) de sel *+ail*

5 g (2 c. à s.) de poivre

5-6 gouttes de Tabasco *à 350° au four 45 min*

100 ml (1/3 tasse) d'huile d'olive

50 g (1/2 t.) de chapelure fine *+ 10 min broil*

Plonger les ailes dans une casserole d'eau bouillante et les blanchir 5 minutes à feu moyen.

Les égoutter. Les placer dans un saladier avec le reste des ingrédients. Laisser reposer une nuit au frais.

Dorer les ailes au barbecue une quinzaine de minutes, en les retournant à l'occasion.

Si vous les aimez nature et très croustillantes, la chaleur directe du barbecue est toute indiquée. Grillez-les à chaleur moyenne en les humectant périodiquement pendant la cuisson avec un pinceau légèrement trempé dans de l'huile végétale infusée au thym, à l'estragon ou à toute autre herbe de votre choix. Il faut les retourner souvent et les déplacer au besoin pour éviter les flambées.

YVES VOUS CONSEILLE :

Les ailes de poulet sont délicieuses accompagnées de différentes sauces du commerce : sauce aigre-douce, sauce piquante, sauce asiatique, etc.

Pâté au poulet

POUR 6 PERSONNES | TEMPS DE PRÉPARATION : 30 MINUTES | TEMPS DE CUISSON : 2 H 30

Pâtés, terrines, fricassées, salmis, aspics, il y a mille manières d'apprêter la volaille. En Amérique, comme ailleurs dans le monde, elle semble essentielle au bonheur de l'être humain qui ne s'en prive pas, car elle arrive sur la table aussi fréquemment que toutes les autres viandes réunies.

YVES VOUS CONSEILLE :

Si vous ne trouvez pas de poule sur le marché, un chapon ou un poulet fera l'affaire. Il suffit alors de réduire le temps de cuisson de la viande (1 h 20 en tout). Le surplus de béchamel à la viande peut servir plus tard à garnir des vol-au-vent. Le reste de bouillon fera une bonne soupe ou une base de cuisson pour du riz.

1 poule d'environ 2 kg (4 à 5 lb)

2 petites carottes, coupées en rondelles

1 branche de céleri

1 feuille de laurier

1 boîte de petits pois

50 g (1/2 t.) de farine

50 g (5 c. à s.) de beurre

125 ml (1/2 t.) de crème 35 %

5 g (2 c. à s.) de thym

5 g (2 c. à s.) de muscade en poudre

1 œuf, blanc et jaune séparés

Sel et poivre du moulin

POUR LA PÂTE BRISÉE :

250 g (3 t.) de farine

100 g (10 c. à s.) de beurre

75 ml (2/3 t.) d'eau

5 g (1 c. à t.) de sel

Dans une marmite, placer la poule et la couvrir d'eau froide. Faire mijoter sur feu moyen.

Écumer après 40 minutes. Ajouter la feuille de laurier et les légumes, sauf les petits pois.

Laisser frémir 1 heure.

Égoutter la poule et les légumes. Laisser refroidir quelques minutes. Filtrer le bouillon.

Désosser la poule.

Dans une casserole, faire une béchamel en mélangeant le beurre et la farine. Laisser cuire à feu doux cinq minutes en remuant avec une cuillère en bois. Ajouter 500 ml (2 t.) de bouillon, la crème, le thym et la muscade. Cuire 20 minutes en remuant.

Ajouter les carottes, les petits pois égouttés et la viande de volaille à cette sauce béchamel.

Préparer la pâte brisée. La diviser en deux.

(suite à la page suivante)

Beurrer et fariner un moule rond. Au rouleau, façonner deux disques de pâte d'une dimension légèrement supérieure au diamètre du moule. Foncer le moule avec le premier disque de pâte. Piquer la pâte avec une fourchette. La badigeonner de blanc d'œuf et garnir le moule de la préparation de béchamel et de viande. Recouvrir du second disque de pâte brisée.

Sceller les bords du pâté avec une fourchette. Badigeonner au pinceau le dessus du pâté de jaune d'œuf. Pratiquer une ouverture au centre du pâté.

Préchauffer le four à 175 °C (350 °F). Enfourner le pâté et cuire de 40 à 45 minutes.

Poulet de Cornouailles

POUR 4 PERSONNES | TEMPS DE PRÉPARATION : 5 MINUTES | TEMPS DE CUISSON : 25 MINUTES

2 poulets de Cornouailles

20 g (2 c. à s.) de sel

5 g (2 c. à s.) de poivre moulu

200 g (1/2 t.) de beurre fondu

100 g (5 ou 6 c. à s.) de chapelure moyenne, faite avec du pain rassis

Demandez à votre boucher de découper les poulets en deux.

Dans une assiette, mettre la chapelure. Dans une autre assiette, le beurre fondu, le sel et le poivre.

Dans un premier temps, préparer les demi-poulets en les aplatissant. Tremper les demi-poulets dans le beurre et puis dans la chapelure des deux côtés.

Cuire les poulets sur un gril ou un barbecue à feu doux de 20 à 25 minutes.

Arroser les poulets avec le reste de beurre fondu.

Servir avec une salade verte.

Les petites volailles (coquelets, pintade, faisan, cailles...etc) sont au mieux rôties ou grillées à chaleur sèche au four ou au barbecue en tournebroche sur un feu moyen-vif ou à chaleur indirecte. Ceux dont la chair est moins grasse pourront d'abord être mis à mariner et badigeonnés en cours de cuisson ou enduits d'un mélange d'herbes et d'aromates qui les protègera tout en leur donnant de la saveur.

YVES VOUS CONSEILLE :

Vous pouvez aussi demander à votre boucher de désosser les poulets par l'intérieur. Vous les farcirez alors d'une mousse composée de cervelle et de ris de veau. Ficelés, ils seront sautés à la poêle, flambés au cognac et mis au four avec la carcasse à côté. Après 45 minutes, vous les sortirez du four et déglacerez le plat de cuisson avec un bouillon de volaille.

Poulet en cocotte — cinq recettes

POUR 4 PERSONNES |

Il y a, dit-on, autant de recettes de poulet que de jours dans l'année. Leur cuisson se partage en deux grandes méthodes : au four en lèchefrite, grillés ou rôtis à la chaleur sèche pour les meilleurs ; dans un récipient couvert, en braisage presqu'à sec mais à la chaleur humide pour les poulets qui ont besoin d'être cuits en étuve pour conférer plus de souplesse à leurs fibres.

YVES VOUS CONSEILLE :

Les meilleurs poulets au Québec proviennent d'élevages en plein air. Ils sont peu nombreux cependant. Votre boucher pourra vous en procurer si vous l'avisez à l'avance.

Sur le marché, on trouve aussi des poulets « bio ». Ils demandent de 15 à 20 minutes de cuisson supplémentaire.

Fricassée de poulet basquaise :

Dans une cocotte, faire dorer le poulet taillé en morceaux.

Ajouter des tomates en cubes, des courgettes en rondelles, des oignons émincés et des carottes tranchées.

Couvrir la cocotte et cuire au four 50 minutes à 175 °C (350°F).

Poulet chasseur :

La veille, faire mariner le poulet en morceaux dans du vin blanc.

Le faire dorer dans une cocotte. Ajouter des champignons, des carottes et des petits oignons blanchis.

Couvrir la cocotte et cuire au four 50 minutes à 175 °C (350 °F).

Poulet à la crème :

Frotter d'ail une cocotte. Faire dorer le poulet en morceaux. Déglacer au vin blanc. Ajouter un oignon coupé en quatre, une dizaine de champignons en quartiers, 2 gousses d'ail écrasées et 500 ml (2 t.) de crème à 35 %.

Couvrir la cocotte et cuire au four 40 ou 50 minutes à 175 °C (350 °F).

Poulet aux pêches :

Dans une cocotte, faire dorer le poulet en morceaux. Déglacer au vin blanc. Ajouter une julienne de légumes, un fond de poulet réduit et des pêches en conserve au naturel avec leur jus.

Couvrir la cocotte et cuire au four 40 ou 50 minutes à 175 °C (350 °F).

Poulet rôti entier :

Garnir d'un peu d'estragon haché et d'un oignon en quartiers la cavité du poulet. Déposer le poulet dans une cocotte à découvert. Enduire de beurre ou d'huile d'olive la peau des poitrines et les hauts de cuisse. Saupoudrer de paprika. Cuire au four 1 h 30 à 175 °C (350 °F).

Dinde de Noël

La cuisson au four par braisage accompagné d'arrosages fréquents, dans une lèchefrite à découvert, compte parmi les plus anciennes méthodes de cuisson. La chair de la dinde est plus sèche que celle des autres volailles. Il faut donc la cuire à four plus doux et il vous faudra parfois protéger certaines parties comme les hauts de cuisse et les filets pour éviter le dessèchement. Elle cuira plus vite si elle n'est pas farcie.

YVES VOUS CONSEILLE :

Les dindes de plus de 11 livres sont les plus savoureuses. Bien sûr, les meilleures sont élevées au grain.

1 dinde de 4 ou 7 ou 10 kg (8 ou 14 ou 25 lb)

500 ml ou 875 ml ou 1 750 l (2 t. ou 3 1/2 t. ou 7 t.) de bouillon de volaille, selon le poids de la dinde

Quelques feuilles d'estragon

Sel et poivre du moulin

Allumer le four à 175 °C (350 °F).

Vider la cavité de la volaille. Saler et poivrer généreusement.

Dans une grande lèchefrite, déposer la dinde, enfourner et cuire de 2 heures à 4 heures selon le poids en l'arrosant, toutes les 10 minutes, du bouillon de volaille. Lorsque le bouillon de volaille est épuisé, continuer à arroser la dinde toutes les 10 minutes avec le dessus du jus de cuisson prélevé dans la lèchefrite avec une cuillère ou une petite louche. Lorsque cette quantité est épuisée, arroser avec le fond de jus de cuisson.

Au terme du temps de cuisson recommandé selon le poids de la dinde, vérifier la cuisson en tournant légèrement la cuisse. Si elle bouge facilement, la dinde est cuite. Vous pouvez aussi vous servir d'un thermomètre à viande. La température interne doit avoir atteint 74 °C (165 °F).

Retirer la dinde. Placer la lèchefrite sur feu moyen. Y verser une tasse d'eau froide et ajouter les feuilles d'estragon. Déglacer 2 minutes à feu moyen.

Filtrer et dégraisser la sauce. La servir en saucière.

Gésiers de volaille confits

POUR 4 PERSONNES | TEMPS DE PRÉPARATION : 15 MINUTES | TEMPS DE MACÉRATION : 12 HEURES | TEMPS DE CUISSON : 2 HEURES

450 g (1 lb) de gésiers de volaille

15 g (1 c. à s.) de gros sel

250 g (2 t.) de graisse de canard

1 brin de thym

2 feuilles de laurier

Poivre du moulin

Nettoyer les gésiers. Les placer dans un saladier avec le gros sel. Laisser dégorger 12 heures.

Égoutter les gésiers et les essuyer.

Dans une casserole, faire fondre la graisse à feu très doux. Ajouter le thym, le laurier les gésiers et le poivre. Faire confire de 1 h 30 à 2 heures.

Servir chaud avec des pommes de terre sautées. Accompagner d'une salade frisée ou d'un mesclun, roquette et trévise, assaisonnés d'une vinaigrette au vinaigre balsamique ou au vinaigre de framboise.

Confire se définit comme une préparation que l'on donne à des aliments en vue de leur conservation, notamment, comme dans ce cas-ci, en les faisant cuire lentement, immergés dans leur graisse. Les morceaux sont d'abord mis en saumure, puis mis à cuire longuement et enfin transférés dans des pots et cellés d'un « bouchon » de graisse. C'est l'une des formes de conserve les plus anciennes.

YVES VOUS CONSEILLE :

Coupez en deux les gésiers de dinde qui sont plus gros que les gésiers de poulet et de canard. Tous se cuisent de la même façon.

Sauce veloutée de volaille

TEMPS DE CUISSON : 30 MINUTES

50 g (½ t.) de beurre

60 g (½ t.) de farine

1 l (4 t.) de fond de volaille

Sel et poivre du moulin

Dans une casserole, faire fondre le beurre à feu doux et ajouter la farine pour faire un roux. Remuer et laisser cuire environ 5 ou 6 minutes. Lorsque le roux a pris une couleur noisette, verser le fond de volaille, chaud ou froid. Remuer lentement avec une cuillère en bois jusqu'à l'obtention d'une sauce bien lisse. Cuire de 20 à 25 minutes. Assaisonner.

YVES VOUS CONSEILLE :

On utilise cette sauce veloutée pour garnir des vol-au-vent ou accompagner un reste de volaille rôtie ou du blanc de dinde.

On peut de la même façon réaliser une sauce veloutée de veau ou de poisson en remplaçant le fond de volaille par du fond de veau ou de poisson.

Le Gibier À Plumes et à Poil

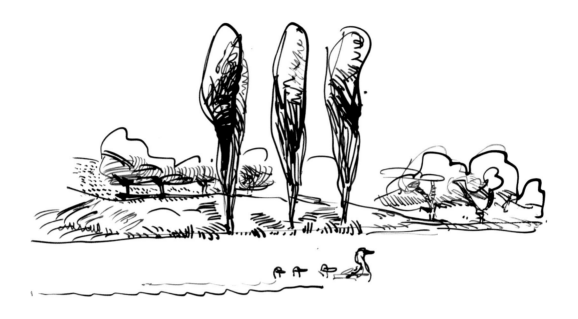

Le gibier à plumes

Nous traitons ici des volailles dites «de spécialité» comme le canard, l'oie, le faisan, la pintade, la caille, le pigeonneau et la perdrix en y ajoutant un volatile beaucoup plus conséquent en taille et en poids, soit l'autruche, qui est arrivée tardivement dans nos marchés et dont la consommation progresse au point où nous possédons désormais au Québec nos propres éleveurs.

Avant toute chose, établissons une première distinction entre le gibier d'élevage et le gibier sauvage. Le second devant dépenser une énergie considérable à chercher sa nourriture et se protéger des prédateurs, sa musculature s'en trouvera plus ferme et moins grasse que ses congénères élevés de façon domestique. Le goût de viande de tout gibier sauvage est également différent de celui qui est produit en élevage, leurs diètes respectives étant totalement différentes. Le goût de « gibier » que certains recherchent risque d'être moins présent en situation d'élevage. Mais en contrepartie, la chair obtenue en élevage risque d'être plus tendre parce que l'oiseau a moins d'efforts à faire pour assurer sa survie.

Comment déterminer la qualité de ce type de volaille

Disons tout d'abord que tout élevage spécialisé de gibier à plumes procure à ces volatiles des conditions d'existence généralement meilleures que celles auxquelles sont généralement soumises les volailles vouées à la consommation de masse. Il y a peu à dire sur le gibier de provenance sauvage, sauf de mentionner qu'il peut être plus ou moins gras et sa chair plus ou moins dense selon son âge et le temps de l'année où on le capture. Si l'on a affaire à des volatiles migrateurs, il faut avoir la précaution de très bien les cuire, car ils peuvent avoir été en contact avec des oiseaux porteurs du virus de la grippe aviaire.

Pour en revenir au gibier d'élevage, disons d'abord qu'il est rarement le fait d'un élevage aussi massif que celui du poulet, de la dinde et même de la caille et ne se pratique généralement pas selon des méthodes de production favorisant un engraissement accéléré. Vu les prix au marché pour ce type de volaille, les éleveurs savent qu'ils s'adressent à une clientèle exigeante sur la qualité. Les rendements attendus au plan commercial permettent un élevage moins rapide et moins intensif où l'éleveur a le souci d'offrir aux volatiles des conditions de vie aussi agréables que possible. Mais il faut désormais oublier la notion d'élevage en liberté en milieu extérieur, car les récentes normes en biosécurité limitent sérieusement tout séjour à l'air libre par crainte de contamination avec d'autres oiseaux porteurs du virus de la grippe aviaire. L'alimentation est faite à base de grain naturel, parfois essentiellement de maïs et ne fait pas appel, du moins au Canada, aux farines animales, aux moulées ou tourteaux industriels (comme le tourteau de soja) pour favoriser l'engraissement rapide, ni aux hormones de croissance. Lorsqu'il y a gavage, comme c'est parfois le cas pour l'oie et le canard, la purée d'engraissement est produite de façon naturelle avec du maïs. Cette période d'alimentation intensive où l'animal est mis en cage se limite aux deux dernières semaines de sa vie et elle est considérée comme incontournable lorsqu'il est question d'obtenir un foie gras.

Dans le cas des élevages de canard mulard, qui représente la seconde espèce de gibier d'élevage en importance en terme de production au Québec, et venant ici tout juste après la caille, la pratique veut que les producteurs s'approvisionnent en canetons à partir d'une même source. Les élevages se font ensuite par lots distincts et géographiquement éloignés de manière à limiter le risque de contamination massive.

L'étiquette qui porte le label sous lequel est commercialisé le produit, comporte un code de traçabilité qui permet d'identifier le lot et donc éventuellement le producteur. En congelé comme en frais, le consommateur peut donc être raisonnablement assuré de la qualité du produit.

Les volatiles comme l'oie, le faisan, la perdrix, la pintade, le pigeonneau connaissent des élevages encore moins intensifs du fait de la relative faible demande du marché québécois pour ce type de volatile. Encore ici, les conditions d'élevage sont respectueuses du bien-être de l'animal du fait qu'elles sont pratiquées à petite échelle par des artisans soucieux de développer un marché pour leur produit. On trouvera donc des volailles de qualité dans nos étals, bien que la plupart du temps en congelé plutôt qu'en frais, vu la faible demande.

L'autruche est originaire d'Afrique. On en trouve également en Australie qu'on appelle émeu, ainsi qu'en Amérique du Sud qu'on appelle nandou. L'élevage de ces trois différentes familles d'oiseaux a connu au Canada au début des années '90 une période d'engouement qui a incité plusieurs éleveurs, certains sans grande expérience, à tenter l'aventure. En 1997, on comptait au Canada 967 fermes ayant déclaré un total de 60 000 sujets en élevage, sans différencier entre autruche, émeu et nandou. Aujourd'hui, l'amateurisme a fait place au professionnalisme et nos éleveurs font un travail de qualité qui a même permis au Canada d'entrer dans le marché de l'exportation de jeunes sujets destinés à l'élevage. Mais le nombre de fermes s'est dramatiquement réduit en raison d'une baisse des prix pour la viande et les sous-produits de ce volatile. L'autruche à elle seule est passée d'un cheptel de 15 000 têtes en 1996 à un peu moins de 2 500 têtes en 2006.

À l'origine, l'élevage de cet oiseau était commercialement d'un bon rapport, car outre sa viande, on l'élevait aussi pour son cuir, son huile et ses plumes, mais ces marchés secondaires se sont effondrés depuis. On compte encore une vingtaine d'éleveurs au Québec pour environ 1 200 têtes en élevage au total, ce qui est minime.

Il n'existe pas de programme de classement de carcasse comme cela se fait pour le boeuf, le porc, l'agneau, la volaille, mais l'Association canadienne des producteurs d'autruche tente d'imposer la pratique d'un sceau d'excellence qui permettrait de distinguer sur les emballages les viandes produites dans

le respect de certains critères, notamment d'âge à l'abattage, de méthodes d'élevage, de pratiques biomédicales et de transformation. Mais, ce n'est pas encore chose faite.

La viande d'autruche, d'émeu et de nandou n'est pas sans rappeler celle du boeuf en couleur, en texture et en saveur. Son goût est légèrement plus prononcé que celui du boeuf, mais, on le répète, assez similaire. Son principal débouché est en restauration gastronomique. C'est une viande peu grasse qui exige à la cuisson certaines précautions afin de ne pas la dessécher. C'est un bon choix santé et sa chair se prête à diverses préparations très appréciées des gourmets.

Choisir le bon mode de cuisson

Les volailles de spécialité se prêtent bien sûr aux modes de cuisson humide ou sèche, comme les autres volailles, mais il est parfois dommage de les mijoter ou de les cuire en bouillons, d'abord parce que leurs chairs aux fibres plus denses sont peu persillées et parmi les moins humides des chairs blanches et qu'elles risquent de se dessécher si elles sont soumises longtemps à la chaleur, mais surtout parce qu'il vaut la peine de ne pas diluer le goût caractéristique de chacune par une cuisson impliquant un lent et long processus de mijotage. Règle générale, on privilégie les modes de cuisson à chaleur sèche comme la cuisson au gril. On peut alors les laisser quelque temps à mariner ou les enduire d'une pommade d'aromates choisis spécifiquement pour rehausser les saveurs de chacune. Elles se cuisent également bien au four en libérant un jus dont on les arrose à quelques reprises si l'on souhaite produire une croûte aromatique ou plus fréquemment pour préserver l'humidité de la chair.

Dans le cas de l'oie, du canard et de l'autruche, les poitrines dont la chair se rapproche en texture et en couleur de celle des viandes rouges, se cuisent en pièces entières à chaleur sèche et seront à leur meilleur avec une cuisson qui se situe entre le médium saignant et le médium, soit donc entre 68-70 °C (155-160 °F) de chaleur interne. Encore ici, une période de repos de 5 à 10 minutes en milieu tiède est à conseiller pour permettre aux chairs de bien se détendre et aux jus de bien se répartir à nouveau dans l'ensemble de la pièce.

Les cuisses du canard et de l'oie se servent également en confit ou en braisé lentement réalisés avec les aromates appropriés.

La taille des autres volatiles avoisine habituellement le kilo et demi, sauf pour le pigeonneau et la caille, respectivement de 500 g et de 175 à 200 g lorsque parés et prêts à cuire. La cuisson au tournebroche pour l'oiseau entier ou au gril en morceaux séparés, leur convient parfaitement, de même qu'entier ou en morceaux séparés pour une cuisson au four.

Les plus petits volatiles comme le pigeonneau et la caille se cuisent mieux entiers et leur taille demande une cuisson courte. On est porté à prolonger leur cuisson du fait qu'on en cuit habituellement plusieurs à la fois, mais ils seront prêts en 30 minutes environ si préalablement amenés à température pièce et déposés sur une plaque dans un four préchauffé à 170-175 °C (325-350 °F). Dans ces cas, il est souvent préférable de recouvrir les poitrines et les cuisses d'une fine barde ou de tranches également fines de bacon ou de prosciutto.

Le gibier à poil

Le gros gibier à poil

Le gibier dont nous traitons ici comprend des animaux dont la taille varie considérablement. Il s'agit chez les plus gros des cervidés comme le caribou et le wapiti, le cerf de Virginie, et le cerf rouge, le bison et le sanglier, tous étant regroupés sous l'appellation venaison. L'avenir ne s'annonce pas facile pour les éleveurs spécialisés dans le gibier à poil. Sauf pour le bison, l'intérêt des consommateurs s'est amoindri pour ces viandes qualifiées d'alternatives, du fait principalement de leurs prix élevés en comparaison des prix des autres viandes largement subventionnés. C'est dommage, car les viandes plus maigres provenant de ces élevages correspondraient mieux au régime alimentaire recommandé pour une population vieillissante.

Chez les plus petits des gibiers à poil, on ne trouve en commercialisation régulière que du lièvre et du lapin d'élevage et là aussi, on enregistre une baisse d'intérêt assez marquée depuis quelques années de la part des consommateurs, probablement aussi à cause des prix.

Traitant d'abord des plus grosses bêtes, notons que l'approvisionnement du marché en viande de ce type n'est ni considérable, ni également réparti sur le territoire. Partout au Québec, l'achat et la vente de chair de gibier (ou de poissons d'ailleurs)

184

récoltée à la chasse (ou à la pêche sportive) sont généralement interdits par la Loi sur la conservation et la mise en valeur de la faune. Pour le caribou, il semble exister une exception lorsque ce gibier est chassé par les Inuits du Grand Nord canadien qui en font la récolte dans son habitat naturel. Plusieurs espèces de caribou faisant partie des espèces menacées d'extinction, seul le caribou d'élevage trouve moyen d'arriver à nos comptoirs de boucherie. Il en va également de même pour le wapiti et le sanglier pour lesquels il se fait depuis une vingtaine d'années un élevage spécialisé au Québec. Il est cependant plus facile de trouver des découpes de cerf rouge et de bison, les deux faisant l'objet d'un élevage assez conséquent au Québec et disponibles en approvisionnement permanent dans les grandes surfaces et chez nos bouchers. L'intérêt grandissant pour ces viandes nous vient du monde de la restauration qui aime offrir des produits de spécialité. Ces élevages se font dans le strict respect des normes gouvernementales par des artisans soucieux d'élever correctement leur cheptel qui sera nourri le plus souvent de grain végétal exclusivement, sans autres farines et sans hormones de croissance, afin de produire une viande aussi naturelle que possible.

Choisir le bon mode de cuisson

La viande de gibier, qu'il soit sauvage ou d'élevage, est plus maigre et plus goûteuse que les autres viandes rouges. On l'apprête cependant comme toutes les autres viandes rouges, sauf qu'il faut ici réduire les temps ainsi que les températures de cuisson, car la densité de leurs fibres et le faible taux de persillage et d'humidité de ces viandes font qu'elles se dessèchent rapidement. Les modes de cuisson à chaleur sèche lui conviennent le mieux, autant pour les rôtis que pour les découpes en tranches qu'il faut garder assez épaisses pour assurer une cuisson qui ne dessèchera pas la pièce. Au gril, on commence par saisir à haute température pour obtenir un premier marquage et l'on poursuit à température modérée jusqu'au degré de cuisson voulu. Il faut se rappeler que la chair de gibier aura meilleur goût en cuisson médium saignant.

Pour les préparations de longue cuisson, il faut surveiller à mi-temps et rajouter du bouillon au besoin de manière à ce que la base de la pièce à cuire baigne dans le liquide jusqu'au quart de son épaisseur. Plus tard, on laissera réduire les jus de cuisson pour obtenir une sauce onctueuse, parfois lissée au beurre et parfois crémée.

Le petit gibier à poil

Le petit gibier à poil consommé de façon courante au Québec se limite donc pratiquement au lapin ou au lièvre d'élevage, issu de la même lignée génétique que le lièvre ou le lapin sauvage. Disons tout d'abord que la chair du lapin est de couleur plus pâle et sa saveur plus douce ou moins prononcée que celle du lièvre ou du lapin sauvage. Elle ressemble en texture et saveur à la chair de poulet et se prête aux nombreuses préparations culinaires qui conviennent à ce dernier.

Il se fait au Québec depuis une vingtaine d'années un élevage industriel du lapin de sorte qu'on le retrouve régulièrement dans nos grandes surfaces et chez nos bouchers. On le nourrit d'une moulée spécifique et on atteint son poids d'abattage de 2,5 kg environ en trois mois. Les bêtes sont donc jeunes, tendres à souhait et leur élevage répond strictement aux normes de salubrité courantes au Québec. Il s'agit donc d'une viande sûre au plan de la consommation et qui mérite d'être davantage popularisée, car elle est véritablement savoureuse et constitue une option de rechange intéressante dans notre ordinaire culinaire. Il faut choisir un lapin à la chair rosée et d'un gras bien blanc. On le trouve généralement prêt à la cuisson, c'est-à-dire déjà paré. Sa viande est maigre, et son gras aussi peu présent que dans un poulet élevé au grain. Il perdra donc peu de poids à la cuisson et constitue un excellent choix santé.

Choisir le bon mode de cuisson

On privilégiera les modes de cuisson à chaleur sèche et modérée, soit 160 °C (325 °F). Le lapin sauvage ou d'élevage est cuit à point lorsque sa température interne atteint 70 °C (160 °F). Au gril, on peut le cuire entier soit à la broche ou sur la grille, mais le plus souvent, en morceaux qu'on découpera idéalement d'égale taille. Il faut le cuire à chaleur indirecte après l'avoir légèrement huilé, puis en le badigeonnant après quelques minutes de cuisson d'une marinade composée d'huile végétale et de moutarde et/ou d'aromates de son choix et ce à quelques reprises durant la cuisson.

Au four, à la rôtissoire ou en braisé, ici encore, la chaleur doit être maintenue modérée tout au long du processus de cuisson. Un lapin de 2,5 kg cuit au four, à couvert, est prêt en un peu moins de 2 heures. Il faut donc compter une heure par livre à 160 °C (325 °F). Pour une cuisson en cocotte couverte, mais sur l'élément de la cuisinière, il faut atteindre une chaleur tout juste suffisante à permettre un léger frémissement du liquide et il faut compter sensiblement le même temps qu'au four. À la poêle, on enduit d'abord le lapin entier ou en morceaux d'huile et l'on cherche à obtenir un léger brunissement des pièces. On déglace ensuite les sucs et l'on ajoute une tasse de bouillon et quelques légumes aromatiques de son choix avant d'y remettre le lapin et poursuivre la cuisson en laissant mijoter sous couvert, sur la cuisinière ou au four à 175 °C (350 °F) en comptant environ 40 minutes par kilo (20 minutes par livre).

Oie grasse

POUR 4 À 6 PERSONNES | TEMPS DE PRÉPARATION : 30 MINUTES | TEMPS DE CUISSON : 2 HEURES

L'oie est ici cuite entière par simple rôtissage au four à chaleur d'abord sèche pour lui faire « suer » son gras, puis à chaleur humide, parfois dans son gras, parfois dans un bouillon aromatique, sans toutefois la laisser baigner dans son jus. Quelques arrosages durant la cuisson suffisent pour dorer sa peau.

YVES VOUS CONSEILLE :

L'oie grasse a été gavée. Elle est encore meilleure car sa chair est plus moelleuse. Normalement elle vous est remise avec ses abats, y compris son foie gras.

1 oie grasse d'environ 3 à 4 kg (6 à 9 lb), avec ses abats

2 tranches de pain de mie

15 g (1 c. à s.) de beurre

60 ml (1/4 t.) de vin blanc

2 pommes Golden Russet, coupées en morceaux

4 pommes Golden Russet, coupées en quartiers

ou

200 g (3/4 t.) de pruneaux, dénoyautés

ou

200 g (3/4 t.) de marrons, étuvés

2 à 3 pincées de safran

15 ml (1 c. à s.) d'alcool (cognac, armagnac, whisky)

1 chou rouge, blanchi

6 graines de carvi

Sel et poivre du moulin

Préparer une farce avec les abats (foie, cœur, gésier) hachés, mélangés à la mie de pain.

Dans une poêle, chauffer le beurre et faire revenir la farce 5 minutes. Arroser de vin blanc.

Farcir l'oie de cette préparation. Placer deux pommes coupées à l'intérieur de la cavité.

Poser l'oie sur la grille d'une lèchefrite profonde. Piquer les flancs de l'oie pour laisser le surplus de gras s'écouler. Cuire 15 minutes au four à 220 °C (425 °F). Retirer. Verser le gras de cuisson de l'oie dans une casserole. Redéposer l'oie dans sa lèchefrite et remettre au four. Poursuivre la cuisson pendant 1 h 30 à 150 °C (300 °F).

Verser à nouveau dans la casserole le surplus de gras de cuisson. Saupoudrer l'oie de safran.

Retirer la grille. Déglacer la lèchefrite avec un alcool au choix. Y placer les quartiers de pommes et laisser frémir 2 minutes.

Remettre l'oie dans la lèchefrite et laisser dorer au four à 175 °C (350 °F) pendant 15 minutes.

Découper l'oie. La dresser sur le plat de service, entourée des quartiers de pommes.

Faire revenir le chou rouge blanchi dans le gras retiré de la lèchefrite et le parfumer de graines de carvi.

Faisan ou caille à la vigneronne

POUR 4 PERSONNES | TEMPS DE PRÉPARATION : 30 MINUTES | TEMPS DE CUISSON : 25 MINUTES POUR LA CAILLE, 55 MINUTES POUR LE FAISAN

La poule faisane (notre photo), si elle est jeune, est à son meilleur rôtie au four, comme dans cette recette. Moins jeune, on peut la braiser à couvert avec quelques légumes aromatiques dans un peu de vin blanc, environ une heure.

Dans cette recette, si vous optez pour les cailles d'élevage, elles sont habituellement tendres et s'accommodent parfaitement d'un simple rôtissage.

YVES VOUS CONSEILLE :

Traditionnellement, on fait cette recette avec des raisins aigrelets. Si vous préférez une saveur plus douce, choisissez une variété de raisin sucré, comme le muscat par exemple.

1 faisan de 1,5 à 1,8 kg (3¼ à 4 lb)

ou

4 cailles

1 morceau de barde de lard

125 ml (½ t.) de vin blanc

20 raisins noirs et blancs pelés, et épépinés

1 noix de beurre

15 ml (1 c. à s.) de crème 35 %

Le jus d'un citron

Sel et poivre du moulin

Dans une cocotte, chauffer le beurre et faire dorer la volaille bardée de lard.

Ajouter le vin blanc. Cuire au four à 175 °C (350 °F) 25 minutes pour les cailles, 55 minutes pour le faisan.

Dans une petite casserole, chauffer le beurre à feu doux et faire étuver les raisins.

Couper le faisan en quatre ou les cailles en deux. Dresser sur le plat de service. Réserver au chaud.

Déglacer la cocotte avec le vin blanc. Réduire du tiers. Ajouter le jus de citron, les raisins et la crème. Napper la volaille de sauce.

Servir sur un nid de tagliatelle.

Faisan au chou

POUR 4 PERSONNES | TEMPS DE PRÉPARATION : 30 MINUTES | TEMPS DE CUISSON : 40 MINUTES

1 faisan de 1,5 kg (3 1/4 lb), découpé en morceaux

1 chou, taillé en lanières

2 carottes, coupées en rondelles

15 ml (1 c. à s.) d'huile

15 g (1 c. à s.) de beurre

180 g (3/4 t.) de lardons

60 ml (1/4 t.) de vin blanc

250 ml (1 t.) de bouillon de volaille

5 baies de genièvre

5 feuilles de sauge

Sel et poivre du moulin

Dans une grande casserole d'eau bouillante, faire blanchir le chou et les carottes 15 minutes. Égoutter.

Dans une cocotte, chauffer le beurre et l'huile. Faire dorer les morceaux de faisan de chaque côté. Retirer et réserver.

Dans la même cocotte, faire revenir les lardons. Ajouter le chou, les carottes, et déposer les morceaux de faisan dessus. Ajouter le vin blanc, le bouillon, les feuilles de sauge et les baies de genièvre. Saler et poivrer.

Couvrir la cocotte.

Faire cuire au four 40 minutes à 190 °C (375 °F).

VARIANTE :

Pour le faisan à la crème, faire dorer le faisan.

Faire sauter des champignons. Arroser d'un trait de citron. Déglacer au vin blanc.

Ajouter 125 ml (1/2 t.) de bouillon de volaille et 30 ml (2 c. à s.) de crème 35 %.

Cuire au four 40 minutes à 175 °C (350 °F).

La technique employée ici consiste à braiser la volaille lentement, à chaleur humide et à couvert, dans un bouillon aromatique. C'est la façon classique de procéder avec une volaille de tendreté moyenne. Les résultats seront cependant à la hauteur de vos attentes.

YVES VOUS CONSEILLE :

Choisissez de préférence la poule faisane, plus tendre et plus goûteuse.

Si vous voulez la servir entière, faites-la rôtir 50 minutes. Vérifiez la cuisson en remuant une cuisse dans tous les sens. Si elle n'offre pas de résistance, la volaille est cuite.

Pintade au cidre doux

POUR 4 PERSONNES | TEMPS DE PRÉPARATION : 1 JOUR | TEMPS DE CUISSON : 50 MINUTES

Déposée au four dans une cocotte à découvert, sans autre liquide que son propre jus, tout juste arrosée du gras fondant des tranches de lard qui la recouvrent, la pintade est mise à rôtir à chaleur sèche. C'est l'approche classique pour cuire toutes volailles déjà tendres et de petite dimension. La finition suggérée dans cette recette en fait un plat simplement sublime.

YVES VOUS CONSEILLE :

Il faut toujours acheter une pintade femelle qui est plus grasse et plus tendre.

1 pintade de 1,2 kg à 1,5 kg (2 1/2 à 3 lb)

5 ou 6 tranches de lard fumé (facultatif)

POUR LA SAUCE :

1 carotte, coupée en dés

1 oignon, coupé en dés

1 branche de céleri, coupée en dés

1 bouteille de cidre

GARNITURE :

30 g (2 c. à s.) de beurre

4 poires, pelées et coupées en deux, le cœur retiré

FINITION :

15 ml (1 c. à s.) d'alcool (Poire William ou cognac)

60 ml (1/4 t.) de calvados

30 ml (2 c. à s.) de crème 35 %

Sel et poivre du moulin

La veille, déposer la pintade dans une cocotte avec les tranches de lard fumé. Cuire 50 minutes au four à 175 °C (350 °F).

Retirer le lard, lever les poitrines et les cuisses et les réserver.

Sectionner la carcasse et la mettre à griller au four 10 minutes avec la carotte, l'oignon et le céleri. Déposer le tout dans une casserole. Ajouter le cidre et assez d'eau pour couvrir la carcasse. Porter à ébullition et laisser mijoter à feu doux de 4h à 5h.

Filtrer le bouillon, le laisser refroidir et le dégraisser. Poursuivre la réduction pour obtenir un jus de pintade à consistance sirupeuse.

Trente minutes avant de servir, chauffer une noix de beurre dans une grande poêle et faire dorer les poires coupées de 2 à 3 minutes. Retirer et réserver au chaud.

Rajouter le restant de beurre dans la poêle et faire dorer les poitrines et les cuisses de pintade. Les flamber à l'alcool. Réserver.

Déglacer la poêle au calvados. Ajouter le jus de pintade, la crème et remettre les morceaux de pintade dans cette sauce 5 minutes pour les réchauffer.

Dresser la pintade, entourée des poires, sur le plat de service. Napper de sauce. En accompagnement, servir les poires en quartiers et une salade verte.

VARIANTE :
Remplacer les poires par des pommes Russet que vous trancherez en rondelles.

Confit de canard

POUR 4 PERSONNES | TEMPS DE SAUMURE : 12 HEURES | TEMPS DE PRÉPARATION : 30 MINUTES | TEMPS DE CUISSON : 2 HEURES

Confire est une technique de cuisson particulière qui consiste à cuire lentement par immersion dans sa graisse mise à chauffer, un morceau de volaille préalablement passé en saumure, notamment de l'oie ou du canard.

YVES VOUS CONSEILLE :

De choisir du canard mulard, élevé à l'intérieur et engraissé par gavage à partir de moulée à base de maïs et d'eau. Sa chair est dodue et délicieuse.

4 cuisses de canard

125 g (½ t.) de gros sel

30 g (1 c. à s.) de poivre en grains

5 ou 6 baies de genièvre

3 feuilles de laurier

1 tige de thym

500 ml (2 t.) de graisse de canard

Dans un bol, mélanger le gros sel et les épices. Frotter chaque cuisse avec ce mélange.

Déposer les cuisses dans un plat. Couvrir d'une pellicule plastique et laisser reposer au réfrigérateur pendant 12 heures.

Bien rincer chaque cuisse pour enlever le sel. Égoutter et laisser sécher les cuisses sur un linge ou une grille.

Dans une casserole, faire fondre la graisse. Plonger les cuisses de canard dans la graisse chaude. Laisser frémir 2 heures, sans jamais amener à ébullition.

Servir tiède, avec une salade mesclun arrosée d'une vinaigrette à la moutarde bien relevée ou encore une salade de roquette arrosée de quelques gouttes de vinaigre balsamique et agrémentée de copeaux de Parmesan.

Caille royale aux raisins

POUR 4 PERSONNES | TEMPS DE PRÉPARATION : 10 MINUTES | TEMPS DE MACÉRATION : 2 HEURES | TEMPS DE CUISSON : 12 OU 15 MINUTES

Sur le marché, les cailles sont disponibles en trois catégories : régulière (petite), jumbo (moyenne) et royale (grosse).

Le temps de cuisson au four varie selon la catégorie choisie. Réduire de 3 minutes le temps de cuisson des petites cailles et de 2 minutes celui des cailles moyennes.

YVES VOUS CONSEILLE :

Pour les grandes occasions, demandez à votre boucher de désosser les cailles et de les farcir de foie gras. Faites-les sauter à la poêle. Flambez-les. Déglacez la poêle avec la macération des raisins. Cuire au four de 20 à 25 minutes.

4 cailles royales, coupées en deux par leur milieu

15 g (1 c. à s.) de beurre

15 ml (1 c. à s.) d'huile végétale

15 ml (1 c. à s.) d'alcool (cognac, armagnac ou whisky)

100 g (1/3 t.) de raisins de Corinthe ou Sultana

180 ml (1/4 t.) de porto ou de madère

Sel et poivre du moulin

Faire macérer les raisins 2 heures dans le porto ou le madère.

Préchauffer le four à 205 °C (400 °F).

Dans une grande poêle, chauffer le beurre et l'huile. Dorer les demi-cailles à feu vif, 2 minutes de chaque côté. Les flamber.

Déglacer la poêle avec le liquide de macération des raisins. Ajouter les raisins.

Placer les cailles et leur sauce dans un plat allant au four et cuire à découvert de 12 à 15 minutes.

Servir avec un riz basmati ou de petites pommes de terre roties.

VARIANTE :

Faire mariner les cailles dans un mélange de miel, de sirop d'érable, d'estragon, de cumin, de gingembre râpé, d'ail pressé et d'échalote émincée. Égoutter et cuire sur le gril 10 minutes à feu moyen, côté viande, et 2 minutes, côté os, en déplaçant les cailles au besoin pour éviter les flambées.

Pigeons au goût du jour

POUR 4 PERSONNES | TEMPS DE PRÉPARATION : 10 MINUTES | TEMPS DE CUISSON : 1 H 45

2 pigeons, parés et ficelés

150 g (1/3 lb) de lard frais, sans couenne, coupé en lardons de 1 cm (1/2 po) d'épaisseur

12 petits oignons, épluchés et blanchis

50 g (5 c. à s.) de beurre

250 ml (1 t.) de bouillon de volaille

20 g (1/4 t.) de farine

60 ml (1/4 t.) de vin blanc

1 brin de thym

1 feuille de laurier

Sel et poivre du moulin

Les pigeons sont mis à braiser lentement, pratiquement à sec de liquide. Cette technique favorise la concentration et l'expression des saveurs. L'étuve amenée par le bouillon viendra attendrir davantage les fibres et achever la cuisson. Le meilleur des deux mondes, en somme.

Dans une cocotte, faire fondre les lardons et le beurre à feu moyen et faire colorer les pigeons.

Égoutter les lardons et les pigeons.

Ajouter les petits oignons dans la cocotte. Les rouler dans le beurre, les faire dorer lentement et les retirer.

Déglacer la cocotte au vin blanc. Remettre les pigeons et les lardons. Cuire à couvert à feu moyen 1 h 15 à 1 h 20. Retirer et réserver le tout.

Dans la même cocotte, faire un roux en ajoutant la farine. Laisser blondir doucement environ 5 minutes. Délayer avec le bouillon. Cuire de 6 à 10 minutes sans cesser de remuer.

Passer au tamis dans une casserole propre. Remettre les pigeons, les petits oignons et les lardons. Laisser frémir encore 10 minutes.

Servir avec des petits pois ou des pâtes.

YVES VOUS CONSEILLE :

Demandez à votre boucher de ficeler les pigeons que vous cuirez en cocotte pour les rendre moelleux. Vous pouvez également lui demander de lever les poitrines et les cuisses des pigeons. Conservez la carcasse pour faire un fond. Cuire les poitrines et les cuisses à la poêle dans du beurre. Déglacer avec le fond et servir la sauce en saucière.

Canette de Barbarie en trois recettes

POUR 4 PERSONNES | TEMPS DE PRÉPARATION : 10 MINUTES | TEMPS DE CUISSON : 1 H 20

*Quelques mots sur la canette :
On appelle caneton ou canette
le petit du canard qui est âgé
de moins de deux mois. Sa chair
franchement tendre conserve sa
souplesse jusqu'à l'âge de quatre
mois. Les restaurateurs par com-
modité nous les présentent sous
leur nom générique de canard.*

YVES VOUS PRÉCISE :

*Au Québec, on trouve dans le
marché un canard nourri à la
graine de lin, le canard du lac
Brome, la canette de Barbarie,
le canard gavé et le canard
de Barbarie.*

1 canette de 1,5 à 2 kg (3 à 4 lb)

15 g (1 c. à s.) de beurre

1 carotte coupée, en dés

1 oignon, finement émincé

1 branche de céleri, coupée en dés

125 ml (½ t.) de fond de canard

Sel et poivre du moulin

POUR LA CANETTE À L'ORANGE :

60 ml (¼ t.) de vinaigre de vin rouge

125 ml (½ t.) de jus d'orange, fraîchement pressé

Le zeste d'une orange et d'une lime

POUR LA CANETTE AUX OLIVES :

60 ml (¼ t.) de vin blanc

1 bouquet garni (thym, laurier, persil)

250 g (1 t.) d'olives vertes en saumure

POUR LA CANETTE AU MIEL :

60 ml (¼ t.) de vinaigre de vin rouge

60 ml (¼ t.) de vin blanc

60 ml (¼ t.) de miel

Le jus d'un citron

1 noix de beurre

1 jaune d'œuf

Faire cuire la canette au four à 175 °C (350 °F) pendant 1 h 20 (ou un peu plus selon le poids).

Dans une poêle, chauffer le beurre et faire revenir les légumes 10 minutes pour les colorer légèrement. Saler et poivrer.

Pour la canette à l'orange, déglacer la poêle avec le vinaigre de vin rouge.

Ajouter le jus d'orange et le fond de canard. Laisser réduire de moitié. Filtrer la sauce.

Ajouter le zeste d'orange et de lime.

Pour la canette aux olives, déglacer la poêle au vin blanc. Ajouter le bouquet garni et le fond de canard. Laisser réduire de moitié. Filtrer la sauce. Ajouter les olives égouttées.

Pour la canette au miel, déglacer la poêle au vinaigre de vin rouge. Ajouter le vin blanc, le fond de canard, le miel et le jus de citron. Laisser réduire de moitié. Filtrer la sauce. Lier la sauce avec une noix de beurre et un jaune d'œuf.

Perdrix aux pruneaux

POUR 4 PERSONNES | TEMPS DE PRÉPARATION : 20 MINUTES | TEMPS DE CUISSON : 40 MINUTES

2 perdrix

20 pruneaux entiers, dénoyautés et noyaux réservés

1 carotte, coupée en dés

1 oignon, coupé en dés

1 branche de céleri, coupée en dés

15 g (1 c. à s.) de beurre

125 ml (1/2 t.) de fond de volaille

125 ml (1/2 t.) d'eau

60 ml (1/4 t.) d'alcool (cognac, armagnac ou whisky)

Sel et poivre du moulin

La perdrix, si elle est jeune et tendre, est à son meilleur rôtie au four. Moins jeune, on peut la braiser à couvert avec quelques légumes aromatiques dans un peu de vin blanc, environ une heure.

Dans une cocotte, chauffer le beurre et l'huile. Faire dorer les perdrix sur toutes leurs faces.

Allumer le four à 175 °C (350 °F). Enfourner et cuire 20 minutes. Retirer les perdrix et les réserver au chaud.

Dans la cocotte, ajouter les légumes et les noyaux de pruneaux. Faire cuire dix minutes à feu moyen. Ajouter le fond de volaille et l'eau. Laisser réduire de moitié.

Mettre les perdrix dans une sauteuse, arroser d'alcool et flamber. Les remettre dans la cocotte contenant le fond réduit. Ajouter les pruneaux et laisser cuire à couvert 10 minutes.

Retirer les pruneaux et les remettre dans la sauce après l'avoir filtrée.

Servir les perdrix nappées de sauce aux pruneaux et accompagnées de pommes de terre en rondelles et de cubes de céleri cuits au beurre.

YVES VOUS CONSEILLE :

Avec une douille à pâtisserie, vous pouvez farcir les pruneaux de mousse de foie de volaille ou de foie gras mi-cuit écrasé à la fourchette.

Autruche ou émeu

La chair bien rouge et bien maigre de l'autruche ou de l'émeu, dans ses découpes nobles provenant de la cuisse (éventail) ou du filet est suffisamment tendre pour être servie saignante ou à point. On la cuit rapidement à la poêle ou grillée au barbecue.

Il faut la cuire avec les mêmes précautions que le filet, c'est à dire brièvement à feu moyen-vif et la laisser reposer quelques minutes pour la détendre avant de servir.

YVES VOUS CONSEILLE :

La pièce de première qualité se nomme l'éventail. Les autres morceaux ne sont pas aussi tendres. Je les propose pour faire des pâtés, des terrines ou des saucisses.

1 morceau d'autruche ou d'émeu, détaillé en tournedos

15 ml (1 c. à s.) d'huile végétale

15 g (1 c. à s.) de beurre

15 g (1 c. à s.) de farine

Sel et poivre du moulin

SAUCE

125 g (1/2 t.) de sucre

60 ml (1/4 t.) de vinaigre de framboise

250 ml (1 t.) de bouillon de volaille

30 ml (2 c. à s.) de gelée de framboise

30 ml (2 c. à s.) de crème 35 %

Préparer la sauce aigre-douce : dans une casserole, faire fondre le sucre à feu très doux. Hors du feu, ajouter le vinaigre. Remettre sur feu doux en remuant jusqu'à l'obtention d'une sauce lisse. Ajouter le bouillon, la gelée de framboise et la crème. Faire réduire de moitié.

À LA POÊLE :

Fariner légèrement les tournedos. Chauffer le beurre et l'huile et faire sauter les tournedos 3 minutes d'un côté et 2 minutes de l'autre.

AU BARBECUE :

Huiler légèrement les tournedos et les griller 3 minutes d'un côté et 2 minutes de l'autre.

Accorder un temps de repos après cuisson.

Saler et poivrer.

Servir les tournedos nappés de sauce, décorés de quelques framboises avec des croûtons tartinés de gelée de framboise.

Accompagner d'une salade de cresson ou de mâche arrosée d'une vinaigrette au vinaigre de framboise.

Magret de canard

POUR 4 PERSONNES | TEMPS DE PRÉPARATION : 5 MINUTES | TEMPS DE MARINADE : 30-45 MINUTES | DE CUISSON : 7 MINUTES

2 magrets de 400 g (14 oz) environ

30 ml (2 c. à s.) d'huile d'olive

30 ml (2 c. à s.) de miel liquide

30 ml (2 c. à s.) de sauce soja

15 ml (1 c. à s.) de vinaigre balsamique ou de framboise

1 gousse d'ail, hachée finement

Sel et poivre du moulin

À LA POÊLE :

Inciser la peau sans tailler la chair pour réaliser un motif de losanges ou un quadrillage.

Déposer les magrets dans une assiette et mariner de 30 à 45 minutes dans le reste des ingrédients, sauf le sel et le poivre.

Cuire 5 minutes côté peau et 2 minutes côté chair à feu moyen-vif.

Déposer au four préchauffé à 150 °C (300 °F) de 10 à 15 minutes selon l'épaisseur. Retirer du four et laisser reposer 5 minutes recouvert de papier aluminium.

Saler et poivrer au goût

Tailler en tranches épaisses pour le service.

AU BARBECUE :

Insérer la lame d'un couteau sous la peau et la retirer en laissant une partie du gras. Inciser le gras restant pour réaliser un motif de losanges ou un quadrillage.

Déposer les magrets dans une assiette et mariner de 30 à 45 minutes dans le reste des ingrédients, sauf le sel et le poivre.

Cuire 4 minutes côté peau et 2 minutes côté chair à feu moyen-vif. Déplacer, au besoin, les magrets pour éviter les flambées soudaines.

Envelopper chaque magret dans le papier aluminium et déposer sur la grille supérieure du barbecue (ou, à défaut, au four préchauffé à 150 °C (300 °F) de 10 à 15 minutes pour laisser la viande se détendre).

Saler et poivrer au goût

Tailler en tranches épaisses pour le service.

On fait griller les magrets sur le gril ou à la poêle. On commence toujours par le côté peau, puis on les retourne sur l'autre face, juste le temps de colorer. Ils se mangent saignants ou rosés comme le bifteck. À la poêle, on peut réaliser un premier brunissement côté peau, puis les retourner brièvement pour les colorer et poursuivre la cuisson au four à chaleur moyenne environ 15 minutes. On les laissera reposer 5 minutes sous une feuille aluminium avant de les tailler en tranches pour le service.

YVES VOUS CONSEILLE :

Le magret de canard provient d'un canard gras, gavé. La poitrine provient d'un canard non gavé. On l'apprête comme le magret. Au barbecue, je recommande d'enlever la peau du magret et de dégraisser légèrement pour éviter que le gras noircisse et pour limiter les flambées que provoque le gras coulant sur les braises.

Le canard s'harmonise bien avec des fruits. On peut ajouter du jus d'orange, servir le magret avec des figues, des mangues ou encore avec une sauce aigre-douce ou au poivre vert.

Terrine de caribou

Il s'agit ici d'utiliser le four comme une étuve. La terrine cuira au contact de la chaleur transmise par l'eau dans laquelle baigne le récipient qui la contient, ainsi que par la chaleur transmise par le milieu humide qu'est devenu le four. Voir les explications sur l'étuvage en page 29.

YVES VOUS CONSEILLE :

Pour le temps de cuisson d'une terrine, on compte de 30 à 35 minutes par livre de viande. Pour vérifier la cuisson, on pique la terrine avec un cure-dents. Si le jus qui en sort est clair et limpide, la terrine est cuite.

1 kg (2 1/4 lb) de viande de caribou, hachée

350 g (3/4 lb) de porc mi-maigre, haché

150 g (1/3 lb) de lard gras, coupé en petits cubes

15 g (1 c. à s.) de sel

6 g (1 c. à t.) de poivre

6 g (1 c. à t.) de muscade en poudre

6 g (1 c. à t.) de marjolaine

2 œufs

60 ml (1/4 t.) de crème 35 %

125 ml (1/2 t.) de fond de gibier

Quelques feuilles de laurier

1 pain aux noix et aux raisins

Dans une casserole, porter le fond de gibier à ébullition et faire réduire de moitié pour en faire une demi-glace.

Dans un saladier, mélanger la viande de caribou, le porc et les cubes de lard. Ajouter la demi-glace de gibier, les œufs, le sel, le poivre, les épices et la crème. Travailler jusqu'à l'obtention d'un appareil homogène et onctueux. Goûter et rectifier l'assaisonnement au besoin.

Préchauffer le four à 175 °C (350 °F).

Trancher une calotte sur le dessus du pain, retirer la mie de manière à pouvoir y verser la garniture de viande. Replacer la calotte et envelopper le pain dans du papier aluminium. Déposer sur une lèchefrite et enfourner. Cuire 1 heure.

Enlever le papier aluminium et laisser dorer le pain pendant 30 minutes. Laisser refroidir.

Déposer au réfrigérateur. Attendre 48 heures avant de consommer.

Servir avec une confiture d'oignons ou une gelée de pin.

VARIANTE :
Si vous souhaitez éviter le pain, tapissez le fond et les bords d'une terrine d'une barde de lard. Remplir la terrine de l'appareil. Couvrir d'un papier aluminium et faire trois petits trous dans le papier. Placer la terrine dans une lèchefrite. Verser de l'eau bouillante dans la lèchefrite jusqu'au 3/4 de la hauteur de la terrine. Cuire 1 heure. Retirer le papier aluminium et laisser dorer le dessus de la terrine pendant 30 minutes.

Daube de cerf

POUR 4 PERSONNES | TEMPS DE PRÉPARATION : 20 MINUTES | TEMPS DE MARINADE : 12 HEURES OU UNE NUIT | TEMPS DE CUISSON : 1 H 30

Faire une daube consiste à braiser lentement sur feu doux une pièce de viande ou de volaille qui cuit à l'étouffée avec un fond et des aromates, dans une cocotte idéalement à fond épais, mise au four ou sur l'élément de la cuisinière. La plupart du temps, la pièce à cuire a préalablement été parée en cubes et marinée assez longuement. Cette technique est une façon classique de redonner souplesse et saveurs aux viandes jugées peu tendres.

YVES VOUS CONSEILLE :

Cette recette peut se faire avec du sanglier ou du wapiti. Recherchez un boucher qui vous assure une viande d'une qualité irréprochable. Les chasseurs pourront apprêter le produit de leur chasse en remplaçant le cerf par l'orignal.

1 kg (2 1/4 lb) d'épaule ou de collier de cerf, en cubes

1 l (4 t.) de marinade pour gibier (voir la recette en page 213)

15 – 20 petits oignons, glacés

10 têtes de champignons de Paris, étuvés

20 g (2 c. à s.) de beurre

20 g (1/4 t.) de farine

Sel et poivre du moulin

FACULTATIF :

15 ml (1 c. à s.) de cognac ou d'armagnac

La veille, mettre la viande à mariner au frais pendant 12 heures ou toute une nuit dans un récipient de verre.

Dans une casserole d'eau bouillante, blanchir les petits oignons 5 minutes. Les égoutter et les faire revenir au beurre 5 minutes avec une pincée de sucre pour les glacer légèrement.

Dans une casserole, faire sauter les champignons à feu doux dans une noix de beurre. Les laisser perdre leur eau 5 ou 6 minutes.

Égoutter et assécher la viande.

Dans une poêle, faire chauffer le beurre. Rissoler les cubes de viande dans la poêle. Les flamber au cognac. Ajouter la farine. Remuer.

Ajouter la marinade et laisser cuire à feu doux 1 h 30 environ. Assaisonner.

A la fin de la cuisson, ajouter les petits oignons et les champignons.

Servir avec des croûtons frits et une gelée de fruits.

Rôti de cerf de Boileau

POUR 4 PERSONNES | TEMPS DE PRÉPARATION : 20 MINUTES | TEMPS DE MARINADE : 24 HEURES | TEMPS DE CUISSON : 35 MINUTES

1 rôti de cerf de Boileau de 1,2 kg (2 1/2 lb)

POUR LA MARINADE :

750 ml (3 t.) de vin rouge

2 carottes, coupées en rondelles

2 oignons, coupés en quartiers

1 pincée de sucre

1 filet d'huile

3 ou 4 baies de genièvre

1 brin de thym

2 feuilles de laurier

15 ml (1 c. à s.) d'huile végétale

15 g (1 c. à s.) de beurre

30 ml (2 c. à s.) de gelée de groseille

80 ml (1/3 t.) de crème 35 %

Le cerf de Boileau est une marque privée provenant des Fermes Harpur à Saint-André-Avelin au Québec, l'un des plus gros élevages de cerfs rouges en Amérique du Nord. Sa qualité est indéniable. Après brunissement, on le cuit à chaleur sèche au four en tenant compte qu'il a été mis à mariner longuement, ce qui l'attendrit et permet de réduire un peu le temps de cuisson à lui consacrer.

Dans un grand bol en verre allant au réfrigérateur, mélanger tous les ingrédients de la marinade. Y déposer la viande, couvrir d'une pellicule plastique et faire mariner de 12 à 24 heures en la retournant périodiquement et en l'arrosant à l'aide d'une cuillère en bois. Retirer la viande et l'éponger. Égoutter les légumes de la marinade et réserver.

Préchauffer le four à 205 °C (400 °F).

Dans une poêle, chauffer le beurre et l'huile. Faire dorer le rôti sur toutes ses faces. Retirer et réserver.

Dans la même poêle, faire dorer les légumes.

Tapisser de légumes le fond d'un plat allant au four. Déposer le rôti dessus. Faire cuire de 30 à 35 minutes.

Dans une casserole, réduire à feu moyen-vif la marinade de moitié. Ajouter la gelée de groseille et la crème. Réduire encore de manière à obtenir 300 ml (1 1/2 t.) de sauce. Filtrer la sauce et la tenir au chaud au bain-marie.

Découper la viande. Servir le rôti nappé de sauce, décoré de griottes et accompagné de croûtons frits tartinés de gelée.

YVES VOUS CONSEILLE :

On peut servir le rôti de cerf comme on sert le caribou, avec une sauce poivrade et l'accompagner d'une purée de marrons ou de fonds d'artichauts blanchis et farcis de petits légumes. Le carré de cerf de Boileau s'apprête également comme le rôti. Les côtes et les steaks de chevreuil se préparent de la même manière que le caribou.

Rôti de caribou

POUR 6 PERSONNES | TEMPS DE PRÉPARATION : 20 MINUTES | TEMPS DE MARINADE : DE 18 À 24 HEURES | TEMPS DE CUISSON : 35 MINUTES

La technique utilisée ici est celle de la cuisson à chaleur sèche, à découvert. La pièce cuit donc par rôtissage et pratiquement à sec. Voir nos explications en page 31. L'intensité du four a été augmentée et la durée de cuisson a été légèrement écourtée pour mieux saisir le rôti en surface d'une part et s'assurer qu'il demeure rosé à cœur, d'autre part.

YVES VOUS CONSEILLE :

Demandez à votre boucher de retirer les nerfs du caribou qui demeurent résistants à la cuisson et de vous préparer un rôti de forme bien régulière.

VARIANTE :

On peut ajouter une poivrade à la réduction de marinade pour une saveur plus corsée : dans une poêle, chauffer le beurre et l'huile. Faire revenir 1 carotte, 1 oignon et 1 poireau émincés, avec du persil, du thym et du laurier. Ajouter 7 ou 8 grains de poivre, 180 ml (3/4 t.) de bouillon de volaille, 250 ml (1 t.) de vinaigre. Faire cuire 30 minutes. Filtrer et ajouter à la réduction de marinade.

1 rôti de caribou de 1,2 kg (2 1/2 lb)

MARINADE

750 ml (3 t.) de vin rouge

2 carottes, coupées en dés

2 oignons, coupés en dés

1 pincée de sucre

1 filet d'huile d'olive

1 brin de thym

1 feuille de laurier

3 baies de genièvre

Sel et poivre du moulin

15 g (1 c. à s.) de beurre

15 ml (1 c. à s.) d'huile d'olive

45 ml (3 c. à s.) de gelée de canneberges

125 ml (1/2 t.) de crème 35 %

Dans un grand plat en verre allant au réfrigérateur, mélanger les ingrédients de la marinade. Ajouter le rôti et couvrir d'une pellicule plastique. Laisser mariner de 18 à 24 heures en retournant la pièce à l'occasion et en l'arrosant de marinade avec une cuillère en bois.

Égoutter et éponger la viande.

Dans une casserole, chauffer le beurre et l'huile. Saisir le rôti sur toutes ses faces. Retirer et réserver.

Dans la même casserole, faire dorer les légumes. Y remettre la viande et faire cuire au four à 205 °C (400 °F) 30 minutes. Fermer le four et laisser reposer le rôti, porte entr'ouverte, de 5 à 10 minutes.

Entre-temps, dans une autre casserole, faire réduire la marinade de moitié à feu moyen-vif. Ajouter la gelée de canneberge et la crème. Cette réduction doit donner 375 ml (1 1/2 t.) de sauce. Filtrer la sauce et la garder au chaud, au bain-marie.

Enlever la ficelle entourant le rôti et découper la viande en tranches.

Servir avec des endives braisées. Napper le tout de sauce et décorer avec des canneberges.

Contre-filet de bison à la sauce aigre-douce

La viande mise à mariner s'attendrit sous l'effet des substances contenues dans la marinade. On peut donc réduire un peu le temps mis à la cuire. On procède au brunissement (voir page 23) sur une seule face de la pièce, puis on la retourne une seule fois pour compléter la cuisson au niveau désiré.

YVES VOUS CONSEILLE :

L'autre découpe de bison qu'on trouve aussi sur le marché est le rôti. Choisissez une pièce de 800 g environ pour 4 personnes. Vous le ferez mariner comme un gibier. Égoutté et essoré, il sera saisi à la poêle et placé au four préchauffé à 205 °C (400 °F) pendant 20 minutes pour une cuisson rosée. Vous le laisserez reposer 2 minutes dans le four éteint, porte entr'ouverte, avant de le servir avec une sauce aigre-douce, comme le contre-filet, entouré de croûtons frits tartinés de gelée de canneberges ou de framboises. Sachez que le bison est recommandé aux sportifs !

4 tranches de contre-filet de bison de 2 à 2,5 cm (3/4 po à 1 po)

150 g (2/3 t.) de sucre

60 ml (1/4 t.) de vinaigre de vin rouge

500 ml (2 t.) de fond de veau ou de bœuf

20 g (2 c. à s.) de gelée de canneberges ou de framboises

250 ml (1 t.) de vin rouge, porté à ébullition

1 feuille de sauge

20 g (2 c. à s.) de beurre

1 filet d'huile

sel et poivre du moulin

Dans une sauteuse, faire fondre le sucre à feu doux jusqu'à ce qu'il soit liquéfié et légèrement coloré. Retirer du feu et ajouter le vinaigre. Remettre à feu doux. Ajouter le fond, le vin et la gelée. À la cuillère de bois, mélanger et poursuivre la cuisson pour réduire de moitié. Laisser refroidir.

Déposer les tranches de bison à mariner dans la sauce pendant une heure ou deux. Égoutter et éponger la viande.

Remettre la sauce à réduire encore de moitié à feu moyen.

Dans une poêle, chauffer le beurre et l'huile. Placer les steaks dans la poêle. Faire cuire 4 minutes d'un côté et 1 minute de l'autre. Saler et poivrer.

Servir le bison entouré de canneberges ou de framboises fraîches et décorer d'une feuille de sauge.

Sanglier aux cerises

POUR 4 PERSONNES | TEMPS DE PRÉPARATION : 15 MINUTES | TEMPS DE CUISSON : 1 1 H 45

1 rôti de sanglier de 1 kg (2¼ lb)

15 g (1 c. à s.) de beurre

15 ml (1 c. à s.) d'huile végétale

1 boîte de cerises dénoyautées, en conserve

POUR LA SAUCE :

150 g (²/₃ t.) de sucre

60 ml (¼ t.) de vinaigre de cerise ou de vin rouge

45 ml (2 c. à s.) de crème 35 %

Sel et poivre du moulin

La viande de sanglier ressemble à celle du porc et se cuit pratiquement de même façon. Sa texture est plus dense que celle du bœuf, peu persillée et pratiquement pas marbrée, sauf si elle provient de l'épaule. Il faut veiller à ne pas la dessécher par une cuisson excessive. Si votre pièce vous semble franchement maigre, songez à la mettre à mariner, ce qui l'attendrira et facilitera sa cuisson.

Préchauffer le four à 150 °C (300 °F).

Dans une poêle, chauffer le beurre et l'huile. Saisir le rôti à feu vif. Placer le rôti dans un plat allant au four. Faire cuire au four 1 h 45. La cuisson doit être rosée.

Égoutter les cerises. Réserver le jus. À l'aide d'un robot culinaire, réduire les cerises en purée.

Préparer la sauce : dans une casserole, faire fondre et blondir le sucre. Déglacer au vinaigre.

Ajouter la moitié de la purée de cerise, le jus des cerises et la crème. Laisser réduire à 60 ml (¼ t.) par personne.

Servir avec des croûtons tartinés de purée de cerise, des salsifis en conserve égouttés et sautés dans le jus de cuisson.

YVES VOUS CONSEILLE :

Les côtelettes de sanglier sont onéreuses et peu populaires. Le rôti de sanglier plaît davantage. Vous pouvez également le faire mariner et joindre la marinade cuite à la sauce. Pour cela, consultez ma recette de marinade pour le gibier.

Lapin aux pruneaux

POUR 4 PERSONNES | TEMPS DE PRÉPARATION : 15 MINUTES | TEMPS DE CUISSON : 1 HEURE

Le lapin est une viande maigre qu'on laisse cuire lentement et longuement sous couvert assez hermétique pour permettre une cuisson à la chaleur humide, mais dans très peu de liquide, donc par braisage.

YVES VOUS CONSEILLE :

Pour éviter les petits os, faites découper le lapin au couteau. Choisissez des lapins plus gros que plus petits, ces derniers n'ayant pas beaucoup de goût. Assurez-vous de bien faire dorer les morceaux de lapin sur tous les côtés. C'est le secret de la réussite d'un bon lapin.

1 lapin de 1,5 à 2 kg (3 1/4 à 4 1/2 lb), coupé en morceaux

12 à 15 pruneaux, dénoyautés

150 g (1 t.) de raisins secs de type Sultana

30 ml (2 c. à s.) d'alcool (cognac ou armagnac)

15 g (1 c. à s.) de beurre

15 ml (1 c. à s.) d'huile

150 g (1 t.) de lard fumé, coupé en cubes

15 ou 20 petits oignons blancs, blanchis

7 g (1/2 c. à s.) de sucre

60 ml (1/4 t.) de vin blanc

250 ml (1 t.) de fond de lapin ou de volaille

3 ou 4 gousses d'ail en chemise

Sel et poivre du moulin

Dans un bol, mettre les pruneaux et les raisins à macérer 30 minutes dans l'alcool.

Réserver le foie et les rognons du lapin.

Préchauffer le four à 175 °C (350 °F).

Dans une cocotte, chauffer le beurre et l'huile. Faire dorer le lapin à feu moyen pendant 10 minutes avec les gousses d'ail non épluchées. Retirer le lapin et l'ail. Réserver.

Dans la cocotte, faire dorer les lardons, jusqu'à ce qu'ils deviennent croustillants.

Retirer les lardons et réserver. Jeter le surplus de gras de la cocotte. N'en garder qu'une cuillère à soupe.

Faire revenir les oignons dans la cocotte. Les sucrer. Les retirer quand ils sont bien dorés.

Déglacer la cocotte au vin blanc. Laisser réduire 2 minutes. Remettre le lapin dans la cocotte. Ajouter les gousses d'ail, les pruneaux et les raisins avec l'alcool de macération, les lardons et le fond. Couvrir la cocotte et enfourner. Cuire de 45 à 55 minutes.

Ajouter le foie, les rognons et les petits oignons. Laisser cuire encore 5 minutes.

Lièvre en civet

POUR 4 PERSONNES | TEMPS DE PRÉPARATION : 30 MINUTES | POUR LA MARINADE : 24 HEURES | TEMPS DE CUISSON : 45 MINUTES

Ici, le lièvre cuit à couvert par mijotage dans un bouillon, après avoir été laissé à mariner assez longuement. C'est la technique classique préconisée pour attendrir tout gibier à poil dont les chairs sont maigres.

YVES VOUS CONSEILLE :

Faites couper le lièvre à la scie pour éviter les petits os. Au Québec, les lièvres sont petits et se vendent souvent congelés. Si vous les découpez chez vous, faites-les d'abord dégeler et récupérez le sang pour lier la sauce en fin de cuisson. Avant d'ajouter à la sauce, fouettez le sang avec 60 ml (1/4 t.) d'alcool au choix et verser délicatement en incorporant à la spatule.

Le civet est meilleur réchauffé. Faites-le la veille, si vous pouvez.

1 lièvre de 800 g (2 lb), coupé en morceaux

POUR LA MARINADE :

750 ml (3 t.) de vin rouge

2 carottes, coupées en rondelles

1 gros oignon, coupé en quatre

15 ml (1 c. à s.) d'huile d'olive

1 pincée de sucre

3 ou 4 gousses d'ail

4 échalotes

3 ou 4 feuilles de laurier

1 brin de thym

60 g (4 c. à s.) de beurre

15 ml (1 c. à s.) d'huile d'olive

15 ml (1 c. à s.) d'alcool (cognac, armagnac ou whisky) (facultatif)

180 g (3/4 t.) de lardons, blanchis

180 g (3/4 t.) de petits oignons, blanchis

POUR LA SAUCE :

1 jaune d'œuf

60 ml (1/4 t.) de crème à 35 %

200 g (3/4 t.) de champignons sautés (facultatif)

Sel et poivre du moulin

Dans un grand plat allant au réfrigérateur, mélanger le vin rouge, les carottes, l'oignon, l'huile, le sucre, l'ail et les échalotes et les herbes. Déposer les morceaux de lièvre, couvrir d'une pellicule plastique et mariner 24 heures au réfrigérateur.

Égoutter et éponger le lièvre.

Préchauffer le four à 175 °C (350 °F).

Dans une cocotte, faire dorer le lièvre avec 30 ml (2 c. à s.) de beurre et l'huile. Flamber à l'alcool, si on le souhaite. Retirer et réserver.

Dans la cocotte, faire dorer les lardons et les petits oignons. Remettre le lièvre dans la cocotte. Mouiller avec la marinade et ses légumes. Couvrir la cocotte et cuire 45 minutes au four. Vérifier la cuisson et poursuivre au besoin.

Retirer et réserver les morceaux de lièvre. Lier la sauce avec le jaune d'œuf et la crème.

Ajouter les champignons.

Marinade pour le gibier

Carottes, coupées en rondelles

Oignons, coupés en rondelles

Céleri, coupés en tronçons ou émincés

Persil, ciselé

Thym

Laurier

Ail, coupé en bâtonnets

Vin blanc ou rouge, pour couvrir la viande

Baies de genièvre écrasées

30 ml (2 c. à s.) de vinaigre

1 filet d'huile

Porter à ébullition et laisser frémir 45 minutes.

Laisser refroidir et placer le gibier à mariner.

Laisser mariner 48 heures.

YVES VOUS CONSEILLE :

Les venaisons — chairs de grand gibier comme le caribou, le chevreuil, le wapiti — ne sont pas recommandables en saison chaude car la marinade peut tourner très vite. Si on veut quand même en préparer, il faut faire bouillir la marinade pour éviter la rapide fermentation des chairs l'été.

Dans tous les cas, il ne faut pas utiliser d'ustensile en métal pour préparer la marinade.

La marinade cuite est toujours préférable pour le gibier à chair ferme, comme le wapiti, le sanglier.

La viande de gibier coûte cher. Il faut la préparer soigneusement et suivre les recettes à la lettre .

INDEX